Apicultura doméstica

Lo que necesita saber sobre la crianza de abejas y la creación de un negocio de miel rentable

Tabla de contenido

Introducción

Si disfruta de la idea de ser dueño de abejas, este libro fue definitivamente escrito pensado en usted. Si es aficionado, está a punto de obtener todos los fundamentos de la apicultura que necesita saber. Incluso si es un profesional de la apicultura, casi seguro que encontrará más que un puñado de consejos interesantes que no conocía y que llevarán su apicultura al siguiente nivel.

No importa si es un agricultor aficionado, un apicultor doméstico, un granjero que quiere profundizar en la apicultura para obtener beneficios. ¡Va a descubrir que este libro es un tesoro de conocimientos apícolas!

(Nota rápida: A lo largo de este libro, las abejas son el centro de atención, así que ténganlo en cuenta).

La apicultura no es tan complicada como parece. Sin embargo, ciertos factores deben ser considerados. Así que, en lugar de tratar de improvisar, lo que podría parecer más divertido de lo que es, continúe leyendo para obtener todo el alcance de lo que significa criar abejas. De esta manera, o se sumerge preparado o no lo hace en lo absoluto.

El primer paso es aprender todo lo que pueda sobre los pequeños salvavidas. Una amplia investigación sobre estas criaturas asegurará que comience con el pie derecho. No es necesario buscar más allá de las páginas de este libro para encontrar todo lo que necesita saber en preparación para sus futuras abejas.

La apicultura es un pasatiempo muy gratificante y especial. Es una ventaja si también es amante de la naturaleza, ya que se puede experimentar un mundo completamente nuevo con las abejas. Ser propietario de un jardín mientras se practica la apicultura es otra ventaja porque las abejas polinizadoras traen sus propias recompensas a sus vegetales, flores y frutas. En resumen, definitivamente sentirá gratitud por estas hermosas y muy útiles criaturas.

Este libro le ayudará como una detallada guía paso a paso para la abundante apicultura doméstica. Y mientras ponga atención a los detalles, usted y sus abejas tendrán una relación satisfactoria.

Este libro fue escrito con la suposición de que algunos lectores pueden no tener ningún conocimiento en absoluto. Si usted tiene experiencia previa con la apicultura, podrá encontrar un montón de nuevas ideas para ayudar a mantener sus abejas en buena salud y aumentar la productividad.

Este libro no es de ninguna manera una conferencia; en cambio, piense en él como una referencia. Está organizado para facilitarle la entrada al campo y mantenerlo allí. La mayoría de los libros requieren que usted lea de principio a fin, y a pesar de la sabiduría en eso, no tiene que hacerlo aquí a menos que realmente quiera hacerlo. Los capítulos están organizados para poner el foco en un aspecto de la apicultura a la vez.

Su mente debe estar *zumbando* de curiosidad ahora, ¡así que es hora de empezar!

Capítulo uno: El arte de la apicultura

Es perfectamente comprensible por qué a muchas personas no les gustan las abejas. Zumban y pican. Ese es el doble de problema, pero la dulce miel hace que todo valga la pena.

Las abejas melíferas son, sin duda, algunos de los miembros esenciales del mundo animal. A pesar de su tamaño, han contribuido mucho al mundo. Un planeta sin abejas sería mucho menos colorido.

Las abejas han existido durante mucho tiempo. Hay numerosos relatos de diferentes culturas sobre las abejas, su significado y su contribución a la sociedad. Ahora, eche un vistazo a algunos de ellos.

La tradición celta

Según los celtas, las abejas eran presagios de buena suerte y fortuna. Eran un símbolo de inmensa sabiduría, portadoras de grandes conocimientos. En las islas occidentales de Escocia, creían que la abeja portaba la antigua sabiduría del sacerdote celta, también conocido como druida. Esta creencia que se extendió y arraigó en toda Escocia es el origen del dicho inglés, " Pregúntele a las abejas salvajes lo que sabe el druida".

Las abejas eran profundamente respetadas por el papel que desempeñaban en lo sobrenatural. Se creía que su tarea era llevar mensajes de un lado a otro, entre reinos, directamente de los dioses a los hombres. Los montañeses incluso creían que mientras dormían, sus almas dejaban sus cuerpos y se transformaban en abejas.

El aguamiel, una bebida alcohólica en la cultura celta, es un producto de la miel fermentada. Esta era solo una razón más por la que los celtas reverenciaban a las abejas, además de que creían que la bebida les concedía la inmortalidad. Esto les hizo crear leyes para proteger a las abejas a toda costa, asegurando un flujo constante de este elixir.

La tradición africana

En algunas tradiciones africanas, se cree que la abeja ha estado involucrada en la creación de los humanos. El pueblo San del desierto de Kalahari cuenta la historia de Mantis, que necesitaba desesperadamente ir con su familia, que vivía al otro lado de un río inundado. Entonces llegó Abeja, una simpática criatura que se ofreció a ayudar a la Mantis a cruzar.

Abeja le dijo a Mantis que se subiera a su espalda para que ella pudiera llevarlo al otro lado del río sin pagar nada a cambio. Mantis estaba agradecido. Yendo contra las furiosas olas, Abeja voló y voló hasta que un viento furioso se les vino encima, haciendo difícil seguir adelante. Mientras se acercaba al río, Abeja voló con la fuerza que le quedaba para salvar a Mantis. Por suerte, vio una flor flotando en el agua. Así que Abeja colocó a su pasajero sobre la flor. Como todas sus fuerzas se habían acabado, cayó muerta justo al lado de Mantis.

Cuando el río estaba en calma, y los vientos cesaron, el sol brilló con fuerza. Acurrucada dentro de la flor fue el resultado del sacrificio de Abeja: El primer ser humano.

Tradición griega

Los griegos tienen una historia para todo. Al igual que los celtas, creían que las abejas eran sirvientes y mensajeras de los antiguos dioses y diosas, responsables de la comunicación entre los dioses y los hombres, entre otras cosas. Se presumía que la miel era una bebida especial, pero solo para los dioses. La sabiduría y el conocimiento estaban asociados a ella.

Una historia popular relacionada con las abejas en el mito griego es la historia del hijo de Cronos y Rea, Titán. Desafortunadamente para un joven Titán, tenía un tirano por padre que juró comerse a todos sus hijos. Y lo hizo, al menos hasta que Zeus fue concebido. Rea se había cansado del comportamiento de Crono, así que lo engañó haciéndole tragar una roca envuelta en una manta en lugar de Zeus, a quien escondió en una cueva secreta. El himno de Zeus, escrito por Calímaco, dice que Zeus fue protegido y cuidado por las abejas. Hasta hoy, Zeus fue llamado por uno de sus muchos nombres, Melissaios, que significa "hombre abeja".

Zeus se convirtió en un poderoso dios que derrotó a su padre, Crono, y se convirtió en el rey de los dioses. Se casó con la diosa de la familia y el matrimonio, Hera, y juntos vivieron en el Olimpo.

Se creía que las abejas tenían una fuerte conexión con las ninfas que se creía vivían en troncos de árboles huecos y cuevas. Se dice que Zeus tuvo relaciones sexuales con una hermosa ninfa llamada Otreide, que luego le dio un hijo. Hera se enteró, se llenó de celos, e hizo planes para asesinar al bebé, así que la ninfa se llevó a su bebé al bosque para esconderse. Según la historia, el niño vivía de miel y creció hasta convertirse en Melitius, el fundador de Melita, que también se llama Ciudad de la Miel.

Otra historia de la miel en la mitología griega es el relato de Apolo escrito en los himnos de Homero a Hermes. La historia habla de cuando Apolo le concedió a Hermes el don de la profecía en forma de tres abejas llamadas las Trías. Fueron representadas con el cuerpo de una abeja y la cabeza de una mujer. La miel se consideraba un elixir de los dioses, con la historia del dios del mar, Glauco, para respaldarla. Cuando Glauco murió, su cuerpo fue colocado en un frasco lleno de miel. Según la historia, volvió a la vida.

La tradición romana

La mitología romana cuenta la historia de cómo la abeja obtuvo su aguijón. Fue un hermoso día en el que la abeja reina se molestó y se cansó de que los humanos robaran miel. Así que buscó la ayuda del rey de los dioses romanos, Júpiter. Le dio miel a cambio de una petición. En el momento en que Júpiter probó su ofrenda, él estaba tan encantado que prometió concederle su petición. La reina le pidió que le diera un aguijón, que podría usar para quitarle la vida a cualquier humano que intentara robarle la miel. Aunque Júpiter no estaba contento con su petición porque le gustaban los mortales, mantuvo su palabra y le concedió su deseo. Sin embargo, había una trampa: Júpiter le dijo que podía tener su aguijón, pero arriesgando su propia vida. Si alguna vez usaba el aguijón, se quedaría en la herida que causó, y moriría por la separación.

La tradición egipcia

En el Egipto prehistórico, las abejas melíferas eran vistas como un símbolo de poder. Los egipcios creían que las abejas fueron creadas a partir de las lágrimas del dios del sol, Ra. Al igual que los celtas y los griegos, se creía que las abejas eran mensajeras que caían a la Tierra como lágrimas del rostro de Ra, donde se convertían en abejas y polinizaban las flores para hacer cera de abeja y miel. También entregaban mensajes a la Tierra desde el Cielo.

Para el pueblo del Bajo Egipto, las abejas simbolizaban el nacimiento, la muerte y la resurrección. También guiaban a la gente en la vida después de la muerte cuando entraban en la tierra de los muertos. Las colmenas, las reliquias de abejas y la miel se consideraban regalos funerarios para los difuntos.

La tradición hindú

Los hindúes creen que la miel está estrechamente asociada con las alegrías del nirvana, lo que significa el fin de todo sufrimiento. Diferentes culturas hindúes retratan a ciertos dioses como Indra, Vishnu y Krishna como abejas descansando en un loto. El dios hindú del amor, Kamadeva, es usualmente visto sosteniendo una cuerda de arco de abejas de miel.

No se puede negar la relación duradera que las personas tienen con las abejas. Evidencias recientemente publicadas muestran que la dependencia humana de las abejas de la miel se remonta a hace 9.000 años. Este descubrimiento puede atribuirse a la investigación de unos 6.000 fragmentos de cerámica, que luego revelaron rastros de cera de abejas en vasijas encontradas en el norte de África, la Europa neolítica y el Cercano Oriente, prueba de la relación duradera del hombre con los pequeños zumbadores.

Dado que el fragmento de cerámica más antiguo es una olla de cocina, no es ningún secreto que la miel se usaba como fuente de alimento y edulcorante. Sin embargo, la cera de abejas, otro subproducto de la abeja, sirvió para una gran cantidad de propósitos para los pueblos antiguos y neolíticos y todavía sirve a la gente moderna. La cera de abejas se usaba en cosméticos, rituales, ollas impermeables, para curar diferentes dolencias y para ciertos propósitos tecnológicos.

Cómo empezó todo

No hay una línea de tiempo exacta de cuándo los humanos comenzaron a domesticar abejas, pero todo comenzó probablemente con un poco de caza de miel, donde los humanos buscaban colonias de abejas silvestres para recolectar algo de miel. Esto probablemente se convirtió en una práctica estacional, con las personas buscando las mismas colonias para cosechar miel cada año. Con el tiempo, parecía una buena idea llevar a las abejas a casa. Este fue el nacimiento de la apicultura.

Hay registros de los primeros métodos de apicultura, que implicaban mover los segmentos de árboles llenos de cavidades que albergaban las colonias de abejas más cerca de los asentamientos humanos. Esta práctica existe hoy en día en algunos países, pero no es tan popular porque la extracción de miel de tales estructuras es destructiva y difícil. Esto llevó a la gente a buscar otros tipos de servicios inmobiliarios para las abejas.

Los antiguos griegos también convirtieron ollas en las primeras colmenas de abejas. Con el paso del tiempo, otros materiales como la paja tejida y la madera se utilizaron para hacer colmenas funcionales.

El nacimiento de la apicultura moderna y comercial

La fácil extracción de la miel y la manipulación de la colmena no ocurrió hasta el siglo XIX, cuando Lorenzo Langstroth, un apicultor, inventó una colmena artificial que muchas personas siguen utilizando hoy en día. Se llama colmena Langstroth y está compuesta de ocho a diez marcos, generalmente de madera. Se utiliza para rodear una capa de cera de abejas, que es la base de la colmena preferida.

Las abejas obreras comienzan a construir las paredes de la cavidad que se utilizan para albergar las larvas de abeja en desarrollo. Lo hacen usando cera producida por sus cuerpos. También hacen celdas que se utilizarán para el almacenamiento de polen y néctar. El néctar se convertirá más tarde en miel.

Las colmenas están construidas de tal manera que las cajas y los marcos que contienen son intercambiables. Esto permite al apicultor mover y apilar los recursos cuando quiera. Lo único que queda por hacer es añadir una tapa y una abertura, que servirá de entrada a la colmena para las abejas, y ¡voilá! De la caja de abejas a la colmena.

La simetría de la colmena de Langstroth también permite a los apicultores mover las abejas de un lugar a otro. Hoy en día, la apicultura comercial se basa en la migración, en la que las abejas son trasladadas a diferentes lugares para asegurar una producción máxima y constante de miel, y una nutrición adecuada para los zumbadores.

Como apicultor moderno, tendrá que poseer o alquilar un camión utilitario o de plataforma. Las paletas de la colmena modificadas serán trasladadas al camión con grúas o montacargas.

Aunque la razón original de la migración en la apicultura era maximizar y asegurar una producción de miel constante, la polinización comercial ha aumentado a lo largo de los años. Las abejas ocupan los primeros puestos en lo que respecta a los servicios de polinización, por lo que es comprensible que los productores agrícolas soliciten estos servicios a los apicultores. Un buen ejemplo es la migración de las abejas a California.

En los Estados Unidos, apicultores de todo el país transportan sus colmenas a California para ofrecer servicios de polinización a la plantación de almendros porque estos dependen completamente de las abejas melíferas para la polinización.

La desventaja de este ejercicio tan productivo es el riesgo que conlleva poner casi todas las abejas de un país entero en el mismo espacio. Da lugar al intercambio de parásitos y plagas entre colonias de abejas normalmente separadas, una de las principales causas del declive mundial de las abejas, entre muchos otros posibles factores de estrés. Otras causas incluyen el cambio climático, la infestación del ácaro Varroa y los pesticidas.

La apicultura es un arte

La apicultura a pequeña escala es vista por muchos como una especie de cura para la multitud de problemas que enfrentan las colonias de abejas hoy en día, y podría serlo si lo hacen bien. Por suerte, cualquiera puede ser apicultor. Todo lo que necesita comprar son un montón de abejas y una colmena Langstroth para que vivan. Además, necesitará un permiso para criar abejas en su propiedad. Parece bastante fácil, ¿verdad?

Bueno, no del todo. La apicultura implica más de lo que parece en la superficie. La apicultura es un arte sagrado que requiere un apicultor que entienda ciertas cosas, como la salud de las abejas, el equilibrio de la colmena y los requisitos de las abejas por temporada.

Si usted es un aspirante a apicultor, debe aprender a identificar y manejar las enfermedades y plagas que afectan a las abejas. Algunas de estas enfermedades son muy contagiosas para otras abejas, lo que pone en peligro a otras colonias porque las abejas de la miel tienden a cubrir mucho terreno mientras buscan alimento o forman enjambres (la enjambrazón es básicamente la reproducción natural de las abejas, donde se dividen en dos o más colonias). ¡No le gustaría que su colmena estuviera pobremente mantenida y fuera una amenaza para los zumbadores vecinos por eso!

Otra cosa que hay que tener en cuenta mientras se crían abejas es su gran dependencia de las flores de su región inmediata. Así que cuando llegue el invierno, o haya escasez de polen, deberá proporcionar una fuente de alimento alternativa. Asegurar su salud mediante el cuidado y la nutrición adecuados no es una tarea que se pueda realizar a la ligera.

Junto con la fabricación de queso y el cultivo de olivos, la crianza de abejas se ha considerado artística desde la antigua Grecia. Artístico porque el éxito de un apicultor no depende solo de la ciencia. Como otras actividades artísticas, los conocimientos apícolas se transmiten generalmente de generación en generación. Aristóteles, un popular filósofo griego, escribió notas detalladas sobre la vida y el significado de las abejas en su libro titulado *Historia Animalium*, al igual que muchos notables griegos antiguos.

La experiencia, la previsión y una profunda comprensión de los diferentes factores externos que no están bajo el control de una persona son tan necesarios como la botánica, la agricultura moderna y la ciencia apícola cuando se trata de una apicultura exitosa. Para cuidar de las abejas, hay que entender el equilibrio que debe existir dentro y fuera de la colonia. Debe saber cómo trabajar con este conocimiento para adaptarte a diferentes entornos y colonias únicas.

Datos breves y divertidos

• Puede parecer que los antiguos griegos eran los únicos obsesionados con la apicultura, pero no es así. Muchos individuos notables han expresado un profundo interés en la apicultura, como Sherlock Holmes y Sir Edmund Hillary. Popular por su logro como el primer hombre en conducir un tractor a través de la Antártida y escalar el Monte Everest, Sir Edmund Hillary es considerado como uno de los más grandes aventureros del siglo XX. Un hecho no tan popular sobre él es que fue un exitoso apicultor, un oficio que aprendió de su padre. Sherlock Holmes, un personaje ficticio de Sir Arthur Conan Doyle, encontró un hogar en la apicultura después de su retiro. Léalo todo en *su última reverencia: un epílogo de Sherlock Holmes.*

• La cera de abejas se ha utilizado desde los tiempos de Persia y el antiguo Egipto.

• La cera de abejas era uno de los principales ingredientes utilizados en el embalsamamiento y la momificación de los muertos.

• La cera de abejas se mezclaba con ciertos pigmentos en polvo, y esta mezcla servía como tinta para pintar y escribir documentos. También se usaba para preservar y sellar documentos oficiales.

• La cera de abejas es una cera real que se utilizaba en la producción de velas y figuritas.

Capítulo dos: ¿Es la apicultura adecuada para usted?

A un buen número de personas les fascina la idea de preparar a las abejas. La idea de traer toda esa dulce miel es muy atractiva, pero debe conocer sus razones para dedicarse a la apicultura, y asegurarse de que son las correctas.

Si escoge este hábil camino, debe hacerlo con total conciencia de a lo que se está apuntando.

Razones para no entrar en la apicultura

Si lo que está buscando es solo miel, no lo haga. Si le gusta tener mucha miel en casa, pase por el supermercado y compre un poco. Es mucho más rápido, menos agotador y mucho más asequible que construir y mantener una colmena entera. La miel casera es uno de los maravillosos beneficios de la apicultura, pero si es la única razón por la que le gustaría criar una colonia entera, debería reconsiderar su decisión.

Si quiere hacerlo porque parece fácil, piénselo de nuevo. Como cualquier otro oficio, requiere tiempo, dedicación y mucho más esfuerzo del que piensa. La apicultura lo desafía a no dejar nunca de aprender, lo cual es algo bueno. Cualquier conocimiento que piense que ha adquirido, como todos los oficios, le molestará y frustrará de vez en cuando. Y eso está bien, es parte del viaje hasta que le toma el truco. Si no está tan enamorado del proceso como lo está de los resultados potenciales, debería tomar un pasatiempo diferente.

Si desea probar la apicultura como un intento de hacer algo de dinero extra, no lo haga. Su ambición es admirable, pero ni siquiera piense en ello. No es que no puede ganar algo de dinero; es que no puede tener esa como su única razón, o de lo contrario podría no apegarse a ella cuando usted y sus abejas están pasando por desafíos.

Si es alérgico a las abejas o tiene familiares o vecinos con tales alergias, puede que tenga que replantearse esta aventura. Todo lo que se necesita son unos pocos minutos para morir de una alergia a la picadura de abeja. ¡Otra cosa que hay que tener en cuenta sobre las picaduras de abejas es que duelen! Cuando lo pican, el área se hincha un poco y siente dolor. Sea cual sea su tolerancia al dolor, la apicultura definitivamente no es para los débiles de corazón. *Le picarán por lo menos una vez.*

Si no puede comprometerse con los pequeños zumbadores, no debería comenzar una relación con ellos solo para dejarlos abandonados. Necesitará verlo de forma conciente, y no puede hacer eso si es un desertor.

La apicultura se basa en la gratificación retrasada. En el primer año, sus abejas estarán ocupadas montando sus tiendas y aumentando la población, así que no habrá miel todavía. A partir del segundo año y en adelante, la miel comienza a rodar a menos que experimente una sequía, una fuerte lluvia o un invierno súper frío. Sus abejas podrían incluso morir o formar enjambres debido al comienzo de la primavera.

Así que si es dueño de un ukelele que ha acumulado más polvo del que sabe que debería, o comenzó y nunca terminó de construir literas para sus hijos porque se mudaron, o es el orgulloso propietario de un azaroso y muy aterrador huerto de calabazas, puede que desee considerar la posibilidad de no participar. Con las abejas, o lo apuesta todo o no apuesta nada. Son crías y necesitan un cuidador consistente y responsable. Además, si no tiene el debido cuidado de sus abejas, sus vecinos podrían tener una o dos cosas que decir sobre la perturbación y el daño considerable.

Si no le gusta aprender, ni siquiera se moleste. El himno de muchos apicultores ahora exitosos es: "Cuando pasé el segundo año, pensé que ya había aprendido, y fue entonces cuando todo cayó en picada". Tal vez no sean esas palabras exactas, pero la experiencia es bastante popular porque el infierno tiende a soltarse regularmente cuando se trata de abejas.

Es importante ser un buen estudiante porque eso es lo que será cuando comience a pedir ayuda y consejo a sus compañeros apicultores. Si le gusta aprender cosas nuevas y es lo suficientemente humilde para aceptar que nunca dejará de aprender, ¡bienvenido a bordo!

Si no está listo para dar algo de dinero cuando sea necesario, su tiempo, y tal vez dejar su espalda, no comience esto. Casi cualquiera puede manejar la apicultura a pequeña escala con un poco de ayuda en lo que respecta a las cosas realmente pesadas. Además, en el mercado hay equipos de diferentes tamaños para acomodar a los apicultores que trabajan solos.

Dicho esto, no hay duda de que la fuerza física está involucrada en la apicultura. Si su plan es la apicultura a pequeña escala, puede que no necesite invertir una gran cantidad de su tiempo cada día. Sin embargo, necesita ser puntual porque el manejo de una colmena requiere una intervención y vigilancia regular cuando sea necesario, no cuando lo encuentre conveniente.

El otoño y la primavera son los períodos que más tiempo y energía consumen para los apicultores, aunque si realmente ama a sus abejas, no se dará cuenta de que está pasando más que suficiente tiempo con ellas.

En cuanto al dinero extra, la mayoría de los apicultores probablemente le dirán que ganar una pequeña fortuna en apicultura solo es alto si está dispuesto a arriesgar una gran fortuna. La verdad es que su primera inversión debería oscilar entre unos 600 y 1.000 dólares. Esto debería conseguirle un montón de colmenas y equipo, lo básico. Si se esfuerza y es constante, debería esperar recuperar su dinero en unos pocos años, más un extra si vende el exceso de abejas que tiene o su miel. Sin embargo, si eligió esto por el dinero, debe revisar otras opciones, a menos que esté preparado para hacerlo todo, a gran escala, y trabajar como un burro.

Si no tiene un plan para donde guardar sus colmenas, mejor planee u olvídese de él. ¡Ubicación, ubicación, ubicación! La ubicación, en este caso, es más que una propiedad de una casa móvil. Su colmena necesitará luz, buenos vecinos, protección de climas duros y depredadores, forraje y acceso al agua.

También necesitará reunirse con las autoridades locales involucradas y obtener las licencias necesarias para usted y sus abejas. Si vive en el campo, debe considerar los cultivos forestales porque ciertos herbicidas y pesticidas pueden ser fatales para las abejas, incluso cuando se siguen las instrucciones de la etiqueta.

Diez pautas de inicio

1. *Inscríbase en una asociación local de apicultores.* Para los interesados en iniciarse en la apicultura, el mejor primer paso es unirse a una asociación llena de personas con ideas afines. Estas asociaciones están llenas de apicultores a gran escala, a pequeña escala, aficionados y experimentados. Tienen reuniones regulares para discutir temas relacionados con la abeja y encontrar soluciones. Algunas de estas asociaciones tienen libros, revistas, vídeos y revistas apícolas útiles que se pueden prestar. Únase a una de estas asociaciones de su zona, póngase en contacto con un apicultor experimentado que le sirva de mentor, y pida amablemente que le echen un vistazo a su colmenar.

2. *Tome una clase sobre el tema.* Lea todo lo que pueda. Elija un mentor. Los proveedores de abejas en ciertas áreas como Ontario solo venden abejas a personas con suficiente conocimiento sobre el tema. Una de las formas de aprender sobre apicultura es inscribiéndose en un taller. Pero eso no debería ser todo lo que haga. Mire a ver si puede conseguir algunos libros de apicultura y navegar por la red para obtener materiales de apicultura. Sin embargo, tenga cuidado con los malos consejos sobre apicultura. Solo recurra a sitios de confianza para obtener información, o estará más confundido que nunca. Por último, encuentre un mentor con el que sea fácil comunicarse y preste atención a las cosas que le digan. ¡Se alegrará de haberlo hecho!

3. *Tómelo con calma, comience de a poco.* Aunque su objetivo sea tener un panal de abejas a gran escala, es mejor comenzar con dos o tres colmenas como máximo. Necesita comenzar con algo pequeño. Comenzar con algo pequeño no es menos exigente, pero le dará una visión a vista panorámica de todo lo que está pasando. Podrá ver lo que se necesita para tener un colmenar, si su ubicación es tan buena como pensaba, y si le gusta la apicultura. El menor número recomendado de colmenas para empezar es dos, no una. De esta manera, puede comparar las colonias e igualar las reservas para el invierno.

4. *Tenga un plan sólido.* Hay tantas cosas que necesitará pensar cuando prepare su colmenar. Lo primero debería ser su presupuesto. Luego, dónde piensa comprar abejas, el tipo de abejas que va a buscar, las herramientas del oficio, cómo planea manejar sus colmenas, el tipo de registros que piensa llevar, y así sucesivamente. También está el asunto de la producción de miel, pero eso es más bien un pensamiento secundario porque no entra en juego hasta el segundo año. Su primer colmenar puede no ser elegante, pero hay un aire de confianza que viene con no tener que estar improvisando las cosas cada vez. La apicultura ya está llena de sorpresas... no hay necesidad de hacer las suyas propias.

5. *Asegúrese de obtener el equipo adecuado.* Afortunadamente para usted, la apicultura viene con varias opciones de equipo, en particular los componentes de la colmena. Tendrá que considerar su fuerza física y los pros y los contras de cualquier equipo que pretenda comprar. Puede parecer mucho trabajo, pero es una inversión financiera, una decisión con la que vivirá durante mucho tiempo. Los cuerpos de colmena artificiales más utilizados son la colmena Langstroth de tamaño estándar. Las no tan comunes son cajas de miel de tamaño mediano, colmenas de barra superior, componentes de 8 marcos, etc. Las colmenas de barra superior están comenzando a recibir algo de amor de la comunidad apícola, mientras que los componentes de 8 marcos son un poco difíciles de encontrar. Visite a su proveedor local para comprobar sus opciones. Además, cuando use sus herramientas de colmena o su ahumador, no sea tacaño si quiere usarlas durante mucho tiempo.

6. *Estudie las regulaciones locales y obtenga la licencia necesaria.* En la mayoría de los estados, es necesario obtener una licencia de apicultura y registrar las colmenas antes de establecerse en la práctica. Si vive en un estado donde las leyes son un poco flojas en cuanto a la apicultura, está bien. Sin embargo, si no lo hace, ahora no es el momento de jugar al rebelde. El registro de sus colmenas le da acceso a actualizaciones sobre las prácticas apícolas efectivas y le ayuda a salir de los disturbios causados por los pesticidas en su área, entre otras cosas. También tiene acceso gratuito a los inspectores oficiales que se encuentran entre las mejores fuentes de información experta.

7. *Protéjase a toda costa.* Necesita asegurarse de que las personas que le rodean no son alérgicas a las picaduras de abeja, e incluso entonces, siempre tenga a mano un Epipen de su farmacia local. La segunda cosa que hay que tener en cuenta es el equipo de protección contra picaduras. Muchos expertos en apicultura no utilizan guantes, pero como probablemente esté lejos de ser un apicultor experimentado, debe mantener los guantes puestos al menos hasta que se familiarice con la práctica. Los guantes no deben ser ni demasiado grandes ni demasiado pequeños. Querrá que le queden

bien ajustados. En cuanto al traje, el clima, la comodidad con las picaduras, y la preferencia personal en general son cosas a considerar antes de comprar los trajes. Sí, en plural, porque tener varios trajes de protección siempre será útil de alguna manera. El equipo de protección será cubierto completamente en el próximo capítulo. La tercera cosa a considerar es el seguro de responsabilidad civil. El seguro del hogar definitivamente no es suficiente para cubrirlo, así que visite su aseguradora o consulte con su asociación de apicultores para un seguro colectivo para proteger sus bienes.

8. *No se olvide de leer, mirar y aprender.* Inscríbase en cursos de apicultura, lea libros y revistas, participe en discusiones significativas con otros apicultores y asista a conferencias sobre apicultura. Todos estos son aspectos importantes de su viaje hacia la apicultura exitosa; sin embargo, lo que es igualmente importante es prestar atención a su colmena y a las actividades de sus colonias. Es una forma tan infravalorada de aprender, pero realmente ayuda a entender cómo se manejan las cosas en su colmena. Vaya a su colmena y solo observe. Observe, escuche, e incluso husmee. Tome notas mientras hace su inspección. Observe cualquier cambio. Piense. Pregúntese. Conéctese con sus abejas.

9. *Lleve un diario.* Escriba las cosas que ve, oye, siente y huele en su colmena. Muchos apicultores llevan un diario para registrar todo, desde el clima hasta sus errores, las flores en retoño, lo que aprendieron, cualquier pregunta que tengan, y así sucesivamente. Algunos incluso establecen un horario de abejas en su calendario. Ahora hay aplicaciones para teléfonos móviles que proporcionan un poco de orientación sobre lo que hay que anotar durante las inspecciones. Si piensa que recordará cuando les dio de comer hace todas esas semanas o instaló una nueva reina, lo más probable es que no lo haga. Lleve un registro.

10. *Diviértase con esto.* Por último, solo respire. Dese un respiro. No siempre lo hará bien, pero con paciencia y tiempo, comenzará a hacerlo bien la mayoría de las veces. Puede que se meta en algunas

situaciones no tan inteligentes, pero eso es parte del proceso. Aprenda y siga adelante.

Ser propietario de un colmenar es la aventura más interesante y divertida que pueda experimentar. Incluso los mejores apicultores dicen que nunca deja de ser un trabajo en progreso. Todo lo que necesita es dar lo mejor de sí mismo. Aprenda cada día y disfrútelo.

Capítulo Tres: 17 Suministros que necesitará

La apicultura implica el uso de diferentes tipos de equipos, herramientas y aparatos, y montar la colmena es más divertido de lo que las personas creen. La colmena es un ensamblaje de varias partes, y estas partes se juntan en un kit. Lo bueno es que las piezas ya están cortadas a medida, así que todo lo que necesita saber es qué va dónde. Esto hace que el ensamblaje sea bastante fácil y no requiere ninguna habilidad especial.

A veces, su proveedor puede ayudarle con el proceso. Si se siente aventurero, podría considerar hacerlo todo desde cero, pero la colmena requiere medidas críticas, así que, a menos que sepa una o cinco cosas sobre carpintería y tenga suficiente tiempo en sus manos, solo compre las piezas precortadas y ensámblelas. Tal vez después de unos años en la práctica, puede darle una oportunidad a la carpintería.

Herramientas del oficio

La Colmena: Las partes precortadas de una colmena se llaman utensilios de madera. Estas partes fueron inicialmente hechas con madera, pero ahora hay versiones sintéticas como poliestireno, plástico, etc. Lo que debe hacer es ir por la madera. Las abejas tienden a asentarse mucho más rápido en la madera que las otras versiones. Además, existe el glorioso olor y tacto de una colmena de madera.

Partes de la colmena

1. **El soporte de la colmena:** Toda la colmena descansa en una base llamada el soporte de la colmena. Los mejores soportes están hechos de ciprés, una madera que no se pudre fácilmente. Este componente es muy importante porque mantiene a la colmena alejada del suelo, reduciendo la humedad y aumentando la circulación. Si su colmena está ubicada en algún lugar con hierba, a sus abejas les será difícil entrar y salir de la colmena porque la hierba bloquea la entrada. El soporte de la colmena mantiene el pasto debajo de la entrada.

2. **El Tablero inferior:** Esto es como el suelo de la colmena. Hay un tipo estándar, hecho de madera de ciprés, como el soporte de la colmena. Luego está el otro tipo llamado el tablero inferior con malla. Algunas colmenas tienen un tablero inferior con malla en lugar del estándar porque la ventilación es mejor, y los ácaros pueden caer fácilmente para evitar la infestación.

3. **El Reductor de Entrada:** Este componente es una pieza de madera rectangular con muescas y viene como un paquete con el tablero inferior. Funciona para reducir la entrada de la colmena y restringir el flujo de abejas que entran y salen. También regula la temperatura durante las estaciones frías y controla la ventilación. El reductor se mantiene suelto en la entrada. Es desmontable y se puede sacar cuando se quiera. El reductor de entrada viene con muescas de varios anchos, desde un dedo hasta cuatro. Sacar el reductor deja la entrada de la colmena abierta y en peligro durante las estaciones frías. Si su colmena está establecida, no necesita los servicios de un reductor en clima cálido. Use un puñado de hierba cuando no pueda encontrar su reductor. No es exactamente lo mismo, pero funciona.

4.   El cuerpo de la colmena profunda: Aquí es donde ocurre toda la actividad. Una colmena profunda suele estar compuesta por diez marcos de madera de ciprés o pino claro. Se aconseja conseguir dos cuerpos de colmena profunda para poder colocarlos uno sobre el otro. Piense en un edificio de dos pisos, pero para las abejas. La parte inferior del cuerpo sirve como cámara de cría o guardería para los bebés, mientras que la parte superior funciona como cámara de comida o despensa donde se almacena todo el polen y la miel. La única vez que está bien usar un solo cuerpo de la colmena es si vive en un lugar sin inviernos. El cuerpo de la colmena es bastante fácil de armar. Viene como cuatro tablones de madera precortados que forman una caja cuando se ensamblan. Mantenga la caja firme clavando un solo clavo en cada una de las uniones. Empareje las cosas con una escuadra de carpintero antes de poner los clavos restantes. El cuerpo de la colmena debe asentarse firmemente en la tabla inferior, así que, si no lo hace, quite cualquier punto desigual con un cepillo o una lija. Una última cosa: Eche un poco de pegamento para madera impermeable en las uniones antes de usar un clavo para mantenerlas en su lugar. Esto hace que la unión sea realmente fuerte.

5.   Excluidor de Reinas: No importa cómo elija cosechar su miel, un excluidor de reinas es una pieza de equipo que DEBE poseer. Se encuentra entre las alzas de miel poco profundas y la cámara de comida profunda. El excedente de miel se recolecta en las cámaras de miel. El excluidor de reinas no tiene componentes como las otras partes de la colmena. Es una simple lámina perforada de plástico o una rejilla de alambre de metal rodeada por un marco de madera. Como su nombre lo indica, esta parte de la colmena evita que la reina entre en el alza de la miel y que salgan bebés. Poner huevos en el alza de la miel es una mala idea porque si hay huevos en el alza, las abejas obreras empiezan a traer polen, lo que estropea la pureza de la miel. La rejilla tiene suficiente espacio para que las abejas obreras puedan pasar, pero no la reina. Un excluidor de reina solo debe ser usado cuando las abejas están trabajando para hacer miel con néctar, que será recolectada en los depósitos de miel. Si no hay producción de miel, no hay necesidad de un excluidor. Deje que la reina vuele donde quiera. No es raro encontrar un apicultor que no use un excluidor de la reina, porque muchos creen que eso frena la producción de miel e incluso podría ser una de las causas de la enjambrazón. De todos modos, esta es una decisión que tendrá que tomar usted mismo basándose en su experiencia con su colmena. Una forma es observar las actividades de su colmena con y sin el excluidor.

6.   **Alzas de miel poco profundas y medianas:** Estos componentes se utilizan para recolectar el exceso de miel, que es la miel que se puede tomar de la colmena. El resto de la miel se encuentra en el cuerpo de la colmena profunda y debe dejarse para los zumbadores. Las alzas se parecen a los cuerpos de las colmenas profundas en todo menos en la profundidad. Las alzas son menos profundas. Hay dos tamaños principales de alzas: medio y poco profundo. La primera tiene 9 1/16 cm de profundidad mientras que la segunda tiene 5 3/8 cm de profundidad. Si alguna vez dice " alza de miel mediana" y las personas no lo entienden, prueba el alza "Illinois o Western". Puede que no lo entiendan, pero ahora saben que significan lo mismo. Las alzas de miel se instalan alrededor de ocho semanas después de comprar las abejas. Sin embargo, en el segundo año, póngalas solo cuando las flores empiecen a florecer en primavera. La poca profundidad de los paneles de miel hace que el manejo sea fácil durante la cosecha. Verá, un alza mediana llena de miel debe pesar alrededor de 50 libras, mientras que el alza poco profunda pesa alrededor de 40 libras. Ambos son fuertes pero manejables. Mientras tanto, el cuerpo de la colmena profunda llena de miel debe dar nada menos que 80 libras. ¡Ese es el tamaño de un antílope blackbuck! Una última cosa: cuanta más miel produzcan las abejas, más alzas se necesitarán para apilar.

7.   **Los Marcos**: El marco de una colmena está hecho de bordes de madera y una base de cera de abeja. Se parece a un marco de fotos con cera de abejas en el medio. Mantiene la cera en su lugar y permite una fácil remoción del panal cuando se cosecha la miel o

durante la inspección. Los marcos profundos son para el cuerpo de la colmena profunda, mientras que los marcos poco profundos son para las alzas de la miel. Hay marcos de madera tradicionales y de plástico artificial. A muchas personas no les gusta la versión de plástico y por una buena razón. No es ningún secreto que el plástico no puede pudrirse, y una base de plástico durará más que una frágil base de cera de abeja. Sin embargo, no les importa a las abejas, a las que les gusta lo que les gusta. La colonia tarda más tiempo en ponerse cómoda y empezar a hacer panales sobre una base de plástico. Un néctar muy fuerte acelerará las cosas un poco, pero puede ahorrarse todo el estrés y conseguir algunos marcos de madera. Hay algo muy natural en los marcos de madera y la cera de abejas. Si desea verlo por sí mismo, use marcos de madera en una colmena y marcos de plástico en otra. Anote sus observaciones. Todos los tipos de marcos se ensamblan de la misma manera porque, como se ha mencionado, son algo idénticos. A pesar del tamaño, cada marco tiene cuatro partes básicas: una barra superior con una cuña que mantiene los cimientos estables, una barra ensamblada en la parte inferior con dos rieles, o una barra con una rendija larga y dos barras laterales. Los marcos comprados vienen con clavos de tamaño perfecto, así que no hay que preocuparse por ese lado.

8. **La base:** La base es una sola lámina de plástico perforado o cera de abeja que ayuda a las abejas a hacer panales casi perfectos. Piense en un patrón de panal. Las bases de plástico son duraderas y no tienen nada que ver con las infestaciones de polillas, a diferencia de las bases de cera de abejas. Sin embargo, las abejas tardan en sentirse cómodas con una base de plástico, por lo que no se recomienda para principiantes. Juegue seguro y vaya a lo tradicional si espera un primer año productivo. Sus abejas se lo agradecerán. En el futuro, puede probar una base de plástico, pero lo más probable es que vuelva a la cera de abejas muy pronto. La base de cera de abejas es fuerte y está hecha de diminutos agujeros hexagonales o patrones de celdas que actúan como un patrón para la producción de panales. Algunas bases ya tienen alambres incrustados en ellas, que es lo que

más se prefiere. Otros requieren cableado manual después de arreglar los cimientos y los marcos. El olor de la cera de abeja inspirará a las abejas a empezar a hacer una lámina de diminutas celdas uniformes donde planean almacenar su comida, ¡mantener a sus crías de abeja y depositar la miel! Las bases, al igual que los marcos, tienen diferentes tamaños para diferentes partes de la colmena. Está la base profunda para el cuerpo de la colmena profunda, la base poco profunda para las alzas poco profundas, y la base media para las alzas medias. El proceso de instalación es el mismo.

Equipo de protección

Ya debería tener una idea de lo que los apicultores usan para protegerse de las heridas. Está el traje de abeja u overol que es comúnmente blanco, los guantes de dos manos, y el velo, que es muy importante.

Algunos apicultores se saltan todo eso y van directamente a su colmenar con una camiseta y pantalones. Sin embargo, por lo general, son apicultores experimentados que saben exactamente cómo comportarse con las abejas sin que los insectos se agiten. Además, es probable que hayan sufrido un par de picaduras de abejas a lo largo de los años, por lo que su nivel de temor es muy bajo.

Un aficionado como usted, sin embargo, tendrá que poner algo de dinero para asegurarse de que obtiene el equipo de protección necesario. De esta manera, el miedo será el menor de sus problemas cuando trabaje en su patio. Trabajar tan cerca de las abejas requiere concentración, y es poco probable que se concentre si sigue preocupándose por las abejas que se arrastran por toda la piel y vuelan alrededor de su cara. El equipo adecuado le permitirá hacer su trabajo. Ahora mírelos en detalle.

1. **Los trajes de abeja u overoles:** Los trajes de abeja no siempre tienen que ser blancos. Los tonos claros de cualquier color funcionan bien. No existe un traje de abeja de color oscuro, porque esos colores hacen que las abejas se agiten. Un traje amarillo, verde claro o azul claro funcionará bien. También vienen en diferentes estilos: los trajes

de cuerpo entero que lo cubren de la cabeza a los pies, y las chaquetas que solo cubren la parte superior del cuerpo. Los trajes de cuerpo entero con cremalleras se recomiendan para los principiantes. Las cremalleras se mueven suavemente, por lo que es fácil entrar y salir. Las muñecas elásticas y los puños de los tobillos funcionan para evitar que las abejas se suban a la manga o a las piernas del pantalón.

2. **El Velo:** Esta es una parte muy importante del equipo. Si tiene suerte, obtendrá un traje de abeja con un velo incorporado. Si no, siempre puede comprar el traje y el velo por separado. Algunos velos se cierran con cremallera en el traje mientras que otros necesitan ser atados. Ambas variantes están completamente bien y proporcionan una protección adecuada siempre y cuando mantenga las cosas herméticas. No hay espacios, no hay abejas.

3. **Los guantes de mano:** Los guantes de mano de apicultor son los siguientes en la lista. Algunos guantes tienen puños largos que proporcionan protección extra y son perfectos para los principiantes. Los guantes más delgados y cómodos con un ajuste apretado pueden ser usados mucho más tarde en la práctica. Algunos apicultores usan guantes simples para lavar platos, así que puede probarlos si no puede permitirse el estándar.

Cuándo saltarse los guantes

Cuando comienza, quiere estar protegido todo el tiempo, así que nunca vaya a su patio sin guantes. Se preguntará por qué la mayoría de las personas comienzan con guantes y los pierden a los pocos años de haber comenzado a practicar. Esto es porque eventualmente se sienten cómodos sin ellos. Los guantes pueden hacerle torpe, incluso los que son ajustados. Tener todas las capas de material entre las manos y lo que sea que esté haciendo, puede interferir con cosas que requieren un ajuste fino, y a las abejas no les gustará eso.

Otra cosa incómoda de los guantes es el calor. Se sienten calientes e incómodos, y es bastante difícil disfrutar de una tarea cuando uno se siente incómodo haciéndola. Así que, por destreza y comodidad, muchos apicultores experimentados se saltan los guantes durante las inspecciones de la colmena. Puede elegir saltarse los guantes si se siente cómodo sin ellos. También puede seguir usándolos todo el tiempo que quiera si no le molestan. Pero un día, después de muchos años de apicultura, puede que se encuentre cavando en la colmena sin guantes porque el caminar de las abejas en su cuerpo ya no le molestará.

Otras necesidades

1. **El Ahumador:** Todos los apicultores, dondequiera que estén, tienen un ahumador. Es una herramienta metálica que quema combustible, como el aserrín, para producir humo. No está construido para producir llamas, por lo que no habrá ningún fuego involucrado. En su lugar, el combustible en su interior se quema lentamente y produce humo. ¿Para qué se usa un ahumador? El efecto del humo en las abejas es fascinante, aunque todavía no se comprende del todo. Cuando hay humo en la colmena, ocurren dos cosas: Las abejas pierden temporalmente su sentido del olfato, que es su modo de comunicación, y luego entran en pánico porque creen que hay un incendio real.

Comienzan a enviar mensajes a todos los demás en la colonia, "¡Humo! ¡Humo! ¡Algo debe estar ardiendo!". Y como todas las alarmas de incendio, causa pánico y confusión. Las abejas sienten la necesidad de abandonar el barco, así que entran en modo de supervivencia y empiezan a comer toda la miel que sus diminutas barrigas puedan soportar. Lo hacen para almacenar toda su miel, que usarán para construir otra casa después de que esta se queme. Lo que no parecen darse cuenta es que comer toda esa miel los hace sentir pesados, débiles y lentos, así que no podrán atacar a nadie. Así que las abejas permanecen involuntariamente tranquilas y demasiado preocupadas por el fuego como para preocuparse por el invasor: Usted. Por eso es que el ahumador es una necesidad.

El ahumador es útil cuando se necesita hacer inspecciones de la colmena o colocarlas en una nueva colmena. De esta manera, las abejas están demasiado adormecidas para preocuparse por la invasión de su privacidad. Cuando termine con lo que sea que haya tenido que ahumarlas, las abejas salen y ven que fue una falsa alarma, y la vida continúa. Como se ha mencionado, el humo afecta temporalmente a su sentido del olfato. Cuando esto sucede, las comunicaciones en la colmena se interrumpen, así que si una abeja lo ve mientras intenta entrar en la colmena, la abeja envía una llamada de socorro que nadie recibirá gracias al humo.

Por muy útil que resulte ahumar, es posible exagerar y dañar las alas de las abejas. Solo se necesitan unos pocos golpes de humo, cualquier cosa más solo hará más daño que bien. Puede comprar un ahumador en su tienda local de apicultura. Los ahumadores están diseñados de la misma manera, como una regadera con un fuelle en la espalda para ayudar a bombear el humo fuera de la regadera.

Necesitará un tipo de combustible para que el ahumador arda. Puede conseguirlo en la misma tienda de suministros que compró su ahumador. El algodón sin procesar, el aserrín, la arpillera, las agujas de pino, etc. son fuentes de combustible populares para su ahumador. Evite usar bolitas de madera de piezas de madera tratadas químicamente porque pueden dañar a las abejas, que son muy sensibles.

2. **Herramienta de colmena:** Este es el tercer equipo más importante después del ahumador y el velo. Es una pequeña herramienta multiuso que funciona como una barra de apalancamiento, un rascador y una palanca. Se utiliza para abrir la colmena y mover los marcos alrededor. Las abejas sellan las grietas de la colmena y crean espacios que se adaptan a sus necesidades y preferencias con el propóleo, así que necesitará algo para atravesar el material pegajoso. Ahí es donde entra en juego la herramienta de colmena. Las herramientas de la colmena vienen en diferentes formas, como las palancas básicas, rascadores y otras versiones especializadas. Tenga en cuenta que el propóleos se endurece cuando se seca, así que debe ser lo más delicado posible al romperlo, para no hacer un gran ruido y poner a la colonia en alerta máxima.

3. **El alcohol:** Consiga una botella de plástico de gran tamaño para rociar y llénela de etanol puro. Esto será útil durante las inspecciones para eliminar el polen o la miel que se queda adherido en las manos. Siempre rocíe en una dirección alejada de las abejas.

4. **Talco para bebés:** A las abejas les gusta el olor del talco para bebés. Antes de cada inspección de la colmena, empolve sus manos con talco para bebés. Esto asegura que sus manos se mantengan limpias y libres de sustancias pegajosas.

5. **Guantes de látex desechables:** Estos son útiles cuando se trata de un montón de propóleos. Protegen sus manos del material pegajoso y no afectan su destreza. Se pueden comprar en su farmacia local.

6. **Una caja de herramientas:** Este es un contenedor que almacena todo su equipo de apicultura. De esta manera, todas sus herramientas están en un solo lugar, haciendo más conveniente el movimiento y el uso durante la inspección. Cualquier caja es lo suficientemente buena siempre y cuando sea lo suficientemente grande y fuerte como para mantener su equipo.

Capítulo cuatro: Cómo seleccionar y comprar abejas

Ahora está listo para ordenar sus abejas y ponerlas en la colmena que ha preparado. Ordenar abejas es divertido porque puede pasar por muchas opciones interesantes y finalmente decidirse por la que funciona para usted. Cuando sus abejas finalmente llegan, instalarlas en su nuevo hogar es fácil, seguro y una experiencia maravillosa, teniendo en cuenta que solo se puede hacer una vez, o al menos no de nuevo durante mucho tiempo. Esto se debe a que una vez que sus abejas se instalan, no hay necesidad de comprar una nueva colonia.

Las abejas no son nómadas; pueden permanecer en el mismo asentamiento año tras año a menos que haya un incidente que las obligue a encontrar un nuevo hogar. Las únicas ocasiones en las que pueden necesitar comprar una nueva colonia son cuando hay un brote de enfermedad o la pérdida de la colonia por inanición. Si no, se quedan con sus abejas todo el tiempo que quiera. Está bien estar nervioso en las semanas o días anteriores a su primera compra e instalación. Se sentirá como un padre expectante, probablemente pensando demasiado en la situación y paseándose con anticipación.

Cuando finalmente llegan, también es normal estar preocupado por la instalación. Puede que esté asustado de que se vayan volando o le piquen. Sin embargo, tenga la seguridad de que cuando finalmente supere sus nervios y se ponga a trabajar, todo funcionará sin problemas.

Diferentes especies de abejas

Las abejas vienen en varias razas e híbridos, y cada uno tiene sus pros y contras. La siguiente es una lista completa de los tipos comunes y sus cualidades definitorias. Algunos proveedores de abejas se ocupan de diferentes especies de abejas, mientras que otros se centran en especies específicas. Lo primero es encontrar una colonia adecuada.

Las abejas melíferas italianas: Estos zumbadores tienen un pelaje marrón amarillento con finas bandas oscuras. Tienen su origen en la península de los Apeninos, Italia. La abeja italiana es suave y se adapta a varias condiciones climáticas. Trabajan rápido para producir panales y aumentar su población. Debido a su rápida reproducción, terminan con una gran colonia durante el invierno, que requiere más miel y polen para sobrevivir.

Las abejas melíferas carniola: Estas abejas son el punto de partida de muchos apicultores porque no son ni agresivas ni susceptibles a las plagas. Tienen un pelaje oscuro con amplias bandas grises y son aproximadamente del mismo tamaño que sus primas italianas. Tienen sus orígenes en las montañas de Austria y Yugoslavia. Las carniolas determinan su población por la cantidad de comida disponible, así que, si hay menos polen en la zona, habrá menos abejas en la colmena. Por esta razón, suelen mantener una pequeña colonia en invierno. También son más propensos a formar enjambres que las otras razas.

Las abejas melíferas caucásicas: Son grises y pueden sobrevivir en climas fríos mejor que otras especies. Esto se debe a su origen en las montañas del Cáucaso, junto al mar Negro. Producen mucho propóleos suave y pegajoso, lo que hace que las inspecciones de rutina sean un desafío difícil. Su tendencia a formar enjambres es casi nula, y debido a su alta producción de propóleos, son muy buenos fabricantes de panales.

Las abejas caucásicas tienen dedos pegajosos. Pueden robar y roban su miel a otras colmenas, así que cuidado con estas. También son propensas a la enfermedad de Nosema, por lo que requieren la medicación de Fumidil-B cada otoño y primavera.

Las abejas melíferas de Buckfast: Esta especie fue creada por un monje benedictino, el hermano Adam, en la abadía de Buckfast, Reino Unido. El hermano Adam fue reconocido mundialmente como un experimentado criador de abejas. Nadie conoce los orígenes exactos de la especie Buckfast excepto el hermano Adam, que falleció a la edad de 98 años en 1996. Cruzó la abeja británica con abejas de diferentes razas para producir una maravillosa mezcla de productividad, resistencia a las enfermedades y dulzura. Requieren menos humo y son menos propensas a la agresión que las otras especies, lo que las convierte en la raza más gentil que se puede mantener. Producen mucha miel y se adaptan a los climas fríos. Esta raza no es propensa a los enjambres, pero eso no elimina el riesgo. También tienden a robar.

Las abejas melíferas rusas: Esta raza es el resultado de la investigación de la USDA en Rusia, que se llevó a cabo en busca de una abeja melífera resistente a los ácaros traqueales y a los ácaros Varroa. Las abejas rusas son mucho mejores en el manejo de las plagas que han arrasado otras razas. Al igual que las abejas carniola, no se reproducen si no hay suficiente comida, lo que lleva a una pequeña colonia durante el invierno. Otra cosa a tener en cuenta es su tendencia a formar enjambres.

Las abejas melíferas starline: Esta raza es una cepa híbrida italiana y es la única de su tipo que está disponible comercialmente. También se le llama abeja del trébol porque parece que le gusta polinizar el trébol. Otra cosa que hace mucho es reproducirse considerablemente, tanto que suelen tener una gran colonia, lo que aumenta su tendencia a hacer enjambres.

Las abejas melíferas midnight: La Compañía de Abejas de York en Georgia se lleva el crédito por esto. Esta raza produce mucho propóleos, lo que puede dificultar un poco las cosas para el apicultor. Es un híbrido, una mezcla de las razas carniola y caucásica. No hay mucha información sobre esta especie, ya que se rumorea que está completamente fuera del mercado. Su proveedor de abejas debería saber más.

Las abejas melíferas africanizadas: Esta especie no está, y no debería estar, en el mercado. No es una especie que le gustaría tener en su patio trasero. Esto está solo en la lista porque ha sido vista en México, en el sur de los Estados Unidos y en Sudamérica. La lista tampoco estaría completa sin reconocer a la infame abeja asesina. Como su nombre lo sugiere, es increíblemente agresiva, difícil y peligrosa, lo que la hace inadecuada para la apicultura.

Cuatro características principales deben ser consideradas al seleccionar una raza para su colmena. Quiere tener una colonia productiva resistente a las enfermedades, adaptable a climas duros, y, por supuesto, suave. Dicho esto, para un principiante, debería optar por la especie rusa o italiana. Ambas razas son suaves, adaptables y altamente productivas, lo que las hace un buen lugar para empezar.

Diferentes maneras de obtener su primera colonia

Para ser un apicultor, obviamente necesitará conseguir algunas abejas. ¿Pero cómo se hace eso? ¿Conoce de dónde vienen? Hay diferentes maneras de obtener sus abejas. Esta sección le mostrará sus opciones y sus pros y contras.

Opción uno: Abejas de paquete

Esta es una de las mejores y más comunes maneras de comenzar una nueva colmena. Cualquier apicultor lo recomendará, especialmente a los nuevos miembros de la familia. Todo lo que necesita hacer es comprar sus abejas por libras a un proveedor conocido. Si vive en los Estados Unidos, los estados del sur están llenos de criadores de abejas, y sus servicios de entrega llegan a todos los rincones de los Estados Unidos.

Su paquete puede venir en diferentes tamaños, dependiendo de su pedido. Una pequeña caja de madera con un biombo a ambos lados contendrá un puñado de abejas y una reina en el mismo espacio. Una caja de madera más grande del tamaño de una caja de zapatos viene con una pequeña pantalla para la reina, y un poco de jarabe de azúcar para alimentar a las abejas en su viaje.

Los paquetes serán entregados a través del Correo de los Estados Unidos. Se recomienda comenzar con un paquete de tres libras, que son aproximadamente 11.000 abejas. Es un paquete de abejas por colmena, así que, si tiene la intención de comenzar con tres colmenas, debe pedir tres paquetes. Como principiante, asegúrese de pedir una "reina marcada". Esto significa que los proveedores pintarán un pequeño punto de color en su vientre, que le ayudará a localizar fácilmente a la pequeña dama durante las inspecciones de la colmena. También le dice sí y cuando las abejas obreras instalan una nueva reina debido a un incidente con la que usted instaló. La nueva reina no estará marcada. El color de la marca también representa el año en que compró su reina. Esto le ayuda a saber cuándo su reina es vieja y debe ser reemplazada.

Opción dos: Comprar una colonia de núcleo

Esto sería una buena elección para los nuevos apicultores. Una colonia de núcleo es una pequeña colonia de cuatro a seis marcos formada por una grande con unas pocas abejas, una reina y algo de miel para poner en marcha las cosas.

Necesitará encontrar un apicultor en su área que venda las colonias de núcleo. Después de la compra, los marcos se trasladarán de una caja de núcleo, que es solo una pequeña caja, a su propia colmena. Muy pocos apicultores se dedican a este tipo de negocios, así que encontrar un vendedor de núcleos puede ser difícil. Si tiene suerte, encontrará un vendedor en su localidad, y esto será menos estresante para usted y sus abejas, porque, enfréntelo, a nadie le gusta esperar tanto tiempo para una compra. Otra ventaja es la certeza de que las abejas prosperarán en su ubicación geográfica, ya que es su lugar de nacimiento. También tendrá un mentor de abejas que vive en su área.

Opción tres: Comprar un colmenar entero

Esto no significa literalmente. Es posible comprar una colonia establecida con la colmena, herramientas y todo de otro apicultor. Sin embargo, esta es una opción reservada para cualquiera menos para los nuevos apicultores. Esto se debe a que los principiantes pueden verse abrumados por la gran cantidad de abejas en una colmena establecida. Además, las abejas seguramente serán maduras y, como resultado, más protectoras de su hogar, por lo que podría ser picado más veces de las que se preveía. Las inspecciones serán difíciles porque simplemente habrá demasiadas abejas. Además, es probable que una colmena más vieja sea difícil de manipular porque el propóleos tiende a pegar todo después del primer año.

Es súper conveniente comprar el paquete completo, pero también se pierde ciertas experiencias y lecciones de empezar de nuevo. Algunas sutilezas como instalar una nueva reina, ver crecer su colonia, observar el desarrollo del panal, y así por el estilo se perderán por completo. Esta opción solo debe ser considerada después de haber adquirido un poco de experiencia en la práctica. Sin embargo, si es esta opción o nada, asegúrese de que un inspector de colmenas en su estado inspeccione adecuadamente la colonia antes de la compra. Usted no quiere traer a casa una colonia infestada. Piense en ello como si un mecánico revisara un coche usado antes de pagarlo.

Opción cuatro: Capturar un enjambre

Esta es una opción con un precio amistoso y gratuito. Los enjambres no cuestan nada, al menos financieramente. Como la opción anterior, esta no es para principiantes. Controlar un enjambre de abejas salvajes es mucho más difícil de lo que parece, especialmente para alguien sin experiencia previa con abejas. Además, nunca se puede estar seguro de la genética, productividad, personalidad y estado de salud del enjambre. Imagine que intenta capturar un enjambre y se da cuenta de que es un enjambre de abejas asesinas. ¡Solo personal experimentado!

Es hora de encontrar un proveedor

Las revistas de abejas e Internet son buenos lugares para buscar proveedores de abejas. Navegar por la red le proporcionará una lista interminable de proveedores, pero no todos los proveedores tienen la misma calidad. Hay reglas que ayudan a elegir un buen proveedor de abejas:

1. Busque siempre proveedores bien establecidos que se dediquen a la cría y venta de abejas desde hace mucho tiempo. Este negocio está lleno de vendedores aficionados e inconsistentes que no tienen la experiencia y dedicación que define todo buen programa de cría. Esto suele llevar a un terrible servicio al cliente y a agotar las existencias de abejas.

2. Asegúrese de que el proveedor tenga una reputación de suministro constante de abejas sanas, un buen servicio al cliente y un envío de confianza.

3. No olvide preguntar si hay inspecciones anuales de rutina en el establecimiento. Está dentro de su derecho pedir una copia de su certificado de salud. Si se niegan a mostrárselo, llévese su dinero a otra parte.

4. Una *garantía de reemplazo* asegura que usted reciba otro paquete de abejas si el paquete inicial muere en el camino. Asegúrese de preguntar al proveedor sobre su garantía de reemplazo.

5. Algunos proveedores hacen afirmaciones imposibles como anunciar abejas resistentes a los ácaros. Esas abejas no existen todavía, así que sospeche de esos proveedores. Los nuevos apicultores tienden a ser presa fácil para los estafadores porque no saben nada más. Si algo parece demasiado bueno para ser verdad, la mayoría de las veces lo es. Lleve su dinero a otra parte.

6. Pida ayuda a los representantes de las asociaciones de abejas de su zona. Acérquese al inspector de colmenas de su estado y pida recomendaciones de proveedores. Además, sienta curiosidad por sus

experiencias con proveedores de abejas insatisfactorios y satisfactorios. Aprenda.

7. Inscríbase en un club de abejas de su área para obtener recomendaciones de proveedores de otros miembros. Tales asociaciones tienen talleres y programas para principiantes. También es una buena manera de aprender más sobre la práctica e incluso conseguir un mentor. ¡Ganar-ganar!

Capítulo cinco: Poner en marcha la colmena

Antes de emprender este estimulante viaje de apicultura, necesita hacer algunas cosas en preparación para la llegada de sus abejas.

Elija una ubicación para su colmenar

Antes de que lleguen sus abejas, debe tener un lugar donde guardarlas. Esto es lo que debe tener en cuenta al elegir un lugar.

Fuentes de polen y néctar: El hecho de que las abejas puedan viajar hasta tres kilómetros o más en busca de polen no significa que siempre prefieran hacerlo. No estaría de más tener sus fuentes de alimento cerca. El forraje debería estar disponible para ellas y ser fácilmente accesible durante toda la temporada. Las abejas hambrientas no son abejas felices.

Fuente de agua: Las abejas son una especie viviente, y los seres vivos tienen que beber agua para mantenerse vivos. Las abejas no solo necesitan agua para saciar su sed, sino también para devolver la miel cristalizada a su estado original. Las abejas también utilizan el agua para hacer la mezcla de miel y polen que le dan a las abejas bebés, así que, si su localidad no tiene una fuente de agua natural, como un arroyo o un estanque, coloque un bebedero para perros o un baño para pájaros en la zona.

Luz solar adecuada: Las colmenas están destinadas a mirar hacia el sur, lo que proporciona una buena cantidad de sol, pero no deben dejarse completamente expuestas al sol, especialmente en el verano, cuando el calor es un poco intenso. La sombra parcial arreglará esto.

Protección contra el viento: Las colmenas deben colocarse al lado de un garaje o cobertizo. También puede considerar colocarlas contra algunos arbustos o cualquier cosa que actúe como amortiguador cuando vengan los fuertes vientos. Si vive en un clima que tiene vientos agresivos durante el invierno, esto debería ser particularmente importante para usted.

Un lugar seco: Las abejas son propensas a enfermedades por hongos que prosperan en lugares húmedos, por lo que colocar su colmena en un área seca con un drenaje adecuado reduce o elimina en gran medida el riesgo de esas enfermedades. Además, inclinar la colmena hacia adelante ayuda a deshacerse de cualquier condensación que pueda haberse acumulado en su interior. El agua fluirá hacia adelante y hacia afuera, en lugar de simplemente hacia abajo en las abejas.

Evite los lugares donde se usan pesticidas dañinos. Vivir cerca de un agricultor industrial no será un buen presagio para las abejas. Estos agricultores dependen de herbicidas, fungicidas e insecticidas para mantener sus cultivos a salvo de las plagas, pero estos productos químicos tienen efectos adversos para las abejas. Debe considerar una ubicación alternativa para su colmenar si usted y tales amenazas conviven. Busque en su área a pequeños agricultores, granjeros o propietarios dispuestos a acomodarlo a usted y a su colmena.

Fácilmente accesible: Esta parte le beneficia más a usted que a sus abejas. Cuando necesite hacer inspecciones de la colmena, mover herramientas y equipos de un lado a otro, y cosechar miel de la colmena, estará agradecido de haber elegido un lugar de fácil acceso.

Poner en marcha la colmena

No puede traer a sus abejas a casa sin tener un lugar donde vivir. Necesita ensamblar sus colmenas y colocarlas en el lugar del colmenar de antemano. Los marcos deben ser colocados y las bases puestas en su lugar. Puede elegir pintar el exterior de la colmena, pero no es gran cosa. Después de ensamblar la colmena, debe ser colocada en la base.

Una nota rápida sobre las bases: Cualquier cosa puede servir como base para su colmena. Mientras la mantenga seca y alejada del suelo, es perfecta. Puede comprar las de fabricación comercial o improvisar con paletas de madera, neumáticos, bloques de cemento, etc.

Las nuevas colmenas deben contener una sola caja de cría porque las abejas tienden a ir de abajo hacia arriba cuando hacen un hogar de la colmena, y no necesitará una segunda caja hasta que la primera esté más de medio llena. Lo mismo se aplica a los panales de miel. No hay necesidad de una segunda caja hasta que la primera esté más que medio llena. De esta manera, las abejas no irán a hacer panales donde no deben.

Tipos de colmenas

La colmena Langstroth: Esta colmena es tan popular que es lo primero que viene a la mente cuando la mayoría de las personas piensan en una colmena. Este es el abuelo de las colmenas y fue inventado en 1852 por el reverendo Langstroth. El diseño ha sido modificado a lo largo de los años, pero la idea original de una colmena expandible y de fácil acceso sigue siendo el enfoque. La colmena Langstroth es más o menos un montón de marcos colgantes verticales sobre los que las abejas pueden construir panales, vivir, divertirse y almacenar la miel, que será recogida en algún momento.

Estos marcos tienen huecos muy específicamente medidos entre sí y las paredes de la caja, y estos huecos fueron creados para respetar el espacio de las abejas. Los huecos tenían que ser precisos para asegurar que los marcos se mantuvieran separados y que nunca se unieran con panales de miel o propóleos. Langstroth bendijo a todos con una brillante idea que facilitó el manejo de la colmena y también respetó el espacio de la abeja. La idea de Langstroth se está utilizando como un factor determinante en el diseño de otros modelos de colmenas hoy en día.

Otra cualidad clave de la colmena Langstroth es la capacidad de expansión. Esto es posible gracias a la adición de nuevos marcos sobre los ya existentes. Estos marcos son cuerpos de colmena profundos o superpuestos a la miel, y vienen en diferentes profundidades: superficial, media y profunda. Las dimensiones de la colmena Langstroth están bien documentadas y son prácticamente las mismas en todas partes. Esto significa que puede comprar diferentes partes de la colmena de diferentes fabricantes.

La colmena Warre: Esta colmena se parece un poco a la colmena Langstroth con sus mini marcos cuadrados. Se llama así en honor a su diseñador, el abad Emile Warre, que fue un monje francés. Su idea era diseñar una colmena que se pareciera a las colmenas en las que las abejas se instalan normalmente si viven en la naturaleza. El resultado fue una colmena con un interior similar a un árbol hueco, que es una elección popular para las abejas salvajes.

Una de las principales diferencias entre esta colmena y la colmena Langstroth es que los nuevos marcos se instalan debajo de los existentes en lugar de encima de ellos. Los marcos Warre son considerablemente más pequeños y ligeros que los marcos Langstroth, lo que es una gran noticia ya que los marcos antiguos tienen que ser movidos hacia arriba de la pila para instalar uno nuevo. No todo el mundo está de humor para levantar pesos.

A diferencia de la colmena Langstroth, que tiene marcos colgantes verticales, este modelo tiene un montón de finas tiras de madera dispuestas en serie en la parte superior de la caja. Esto asegura que las abejas construyan su panal de arriba a abajo. Además, esto elimina la necesidad de una base, ya que la entrada está en la parte superior.

Las colmenas Warre tienen un techo, que a veces se llama cajón de virutas. Contiene materiales que absorben cualquier condensación producida por las abejas, lo cual es particularmente útil durante el invierno, cuando una acumulación de humedad es más probable que amenace la supervivencia de las abejas. La colmena Warre está diseñada para ser eficiente y no necesitar un mantenimiento constante. A los apicultores les encanta.

La colmena de barra superior: Esta colmena es un modelo reciente que es muy diferente de las colmenas Warre y Langstroth. Se considera el modelo más cómodo para los apicultores porque está situado a una altura conveniente, y no hay que preocuparse por cajas pesadas llenas de miel.

La colmena de barra superior es una simple caja horizontal que no deja espacio para la expansión, a diferencia de las colmenas Warre y Langstroth. Tiene una tapa con una cadena corta que la mantiene unida al cuerpo de la colmena. La característica principal de la colmena son las 24 barras de cuña, sobre las cuales las abejas construyen uniformemente su panal. Estas barras corren desde el techo de la colmena, y unidas a las barras hay tiras iniciales hechas de cera de abeja, que atraen a las abejas a empezar a construir panales de arriba a abajo. Esta colmena no necesita una base porque está suspendida en el aire por patas de madera. Es la definición de simple y conveniente.

Pasos para armar una caja de colmena

Si es hábil, esta parte de la apicultura será pan comido. Si usted no es "muy amigo de las herramientas", esta sección describe en detalle cómo preparar su caja de colmena.

1. Primero, necesitará un martillo, cuatro abrazaderas, una hoja de afeitar y una escuadra de carpintero.

2. Coloque los cuatro componentes de su caja de colmena y el número de clavos que necesita en su superficie de trabajo.

3. Tómese su tiempo para inspeccionar las partes de la caja de colmena. Si hay esquinas afiladas o astillas de madera, quítelas suavemente con la hoja de afeitar.

4. Revise la caja de colmena para ver si hay agujeros de clavos preperforados. Cada caja de colmena debe tenerlos. Están situados en las uniones de los componentes precortados. Identifíquelos. Si no los puede encontrar, no se asuste. Simplemente taladre los agujeros usted mismo antes de seguir adelante. Los agujeros no son particularmente necesarios, pero ayudan a prevenir la mala alineación de los clavos al armar la caja.

5. Ahora necesita encajar todos los componentes sin los clavos para asegurarse de que están bien ajustados. No se olvide de que las asas deben estar orientadas hacia afuera.

6. Fije los cuatro lados de la caja de colmena para mantenerla en su lugar para martillar, una abrazadera por cada lado. Aunque no se necesitan las abrazaderas para clavar la caja, se recomienda usarlas. Las abrazaderas facilitan la colocación del clavo en la madera sin desplazar las otras uniones no aseguradas. A menos que sea un carpintero experimentado, use las abrazaderas por conveniencia y seguridad también. No querrá clavarse un clavo en la mano por accidente.

7. Después de colocar las abrazaderas, use la escuadra de carpintero para asegurarse de que la caja es realmente cuadrada. Si no, haga algunos ajustes para que la caja esté alineada.

8. Es hora de colocar los clavos en sus respectivas posiciones. Comience en la esquina superior, tómese su tiempo y no se haga daño.

9. Coloque un segundo clavo en el lado adyacente de la misma esquina, asegurándose de que la caja permanezca cuadrada mientras procede. No tiene que comprobar la alineación después de que cada clavo entre, pero puede asegurarse de que lo hace bien. Es mejor que tener que quitar todos los clavos y comenzar de nuevo debido a la mala alineación después de tanto trabajo.

10. La próxima es la siguiente esquina. Coloque el clavo en un lado y cruce el clavo por el lado adyacente. Todas las esquinas deben tener dos clavos en ambos lados, así que cuando haya terminado, debe haber ocho clavos en la caja.

11. Saque las abrazaderas y ponga la caja al revés. Sujete las partes superiores de la caja y compruebe que están alineadas. Si no es así, ajuste las abrazaderas y compruebe de nuevo.

12. Comience en la esquina superior y coloque un clavo en la parte delantera y otro en el lado adyacente. Haga esto hasta que todas las esquinas estén clavadas en su lugar.

13. Ahora debería tener un total de dieciséis clavos en la caja. Asegúrese de que la caja esté cuadrada. Ajústela si no lo es.

14. Aquí es donde vaciará el resto de los clavos en la caja de colmena. Comience por un lado y dé la vuelta hasta que los clavos se agoten.

15. Cuando haya terminado, debería tener 40 clavos en una caja de colmena completa. Si necesita más de una caja de colmena, será mejor que comience con la otra.

Capítulo seis: Cuando el paquete de abejas llega

La mayoría de los apicultores nunca saben el día exacto en que esperan a sus bebés, pero se sabe que muchos proveedores informan a los clientes cuando el paquete ha sido enviado. Si su paquete llega por correo, informe a su oficina de correos local de su llegada una semana antes de la fecha prevista. Dé su número de teléfono a la oficina de correos para que le avisen en el momento en que lleguen sus abejas. Es posible recibir la entrega en la puerta, pero la mayoría de las oficinas de correos requieren que usted vaya por su paquete. Asegúrese de informar a la oficina de correos de que coloque el paquete en un lugar fresco y oscuro en espera de su llegada.

Lo más probable es que reciba su texto "abejas-están-aquí" o una llamada lo antes posible porque sin duda querrán librarse del amenazante paquete. Cuando reciba la llamada, su prioridad debe ser llevar las abejas a casa, no recoger el equipo y montar la colmena, todo eso debe hacerse antes de su llegada. Asegúrense de que todo esté preparado para que sus bebés se instalen sin problemas.

Obteniendo sus abejas

Cuando reciba una llamada de la oficina de correos, debe seguir estos pasos para garantizar la seguridad de sus abejas desde el momento en que las vea hasta que estén cómodamente en la colmena.

1. Primero, inspeccione su paquete. Esto es para asegurarse de que sus abejas están respirando y pateando. Puede que haya algunas abejas muertas en el suelo de la caja, pero eso no debería sorprenderle. Lo que debería alarmarle es encontrar más de una pulgada de abejas muertas en la caja. Si eso sucede, se le dará un formulario para que lo llene en la oficina de correos. Después de lo cual llamará a su vendedor para que le reemplace las abejas.

2. Ponga sus abejas en el asiento trasero de su coche, no en el maletero. Llévelas a casa inmediatamente porque estarán cansadas, con calor y sed después de un viaje tan largo.

3. Tan pronto como llegue a casa, llene un atomizador con agua fría y úselo para rociar ligeramente el paquete.

4. Ahora mueva el paquete a un lugar fresco como el garaje o el sótano. Déjelos reposar durante solo una hora.

5. Una vez que se acabe el tiempo, rocíe el paquete con un poco de jarabe de azúcar no medicado. No rocíe el jarabe contra la pantalla porque definitivamente lastimará a varias abejas de esa manera. Sus abejas deben tener un medio para alimentarse en la colmena. No puede equivocarse con un alimentador de calidad en la colmena, pero si no puede conseguir uno, puede usar un alimentador de bolsas o un cubo de alimentación.

Cómo hacer jarabe de azúcar

Sus abejas necesitan ser alimentadas con jarabe de azúcar dos veces al año, en primavera y otoño. La alimentación en primavera funciona para estimular la actividad de la colmena y promover la productividad. Reciben un impulso de energía y están ansiosas por trabajar. También puede salvar muchas vidas si las abejas se están quedando sin miel. La alimentación de otoño será almacenada por la colonia y utilizada durante el invierno. La alimentación con jarabe es también una gran manera de hacer que las abejas tomen los medicamentos necesarios.

Si sus abejas fueron compradas a un criador de confianza, no necesita medicarlas durante el primer año. El jarabe medicado debe comenzar a partir de la segunda temporada y debe ser dos veces al año. Así es como se pueden preparar los dos tipos de jarabe de azúcar.

Jarabe no medicado: Vierta dos cuartos de galón y medio de agua en una olla y colóquela en la estufa. Hágalo hervir y sáquelo del fuego. Ahora vierta 80 onzas de azúcar blanca granulada y revuelva hasta que el azúcar se disuelva. No lo haga mientras el fuego esté encendido, o terminará con caramelo y a las abejas no les gusta el caramelo. Deje enfriar el jarabe antes de dárselo a las abejas.

Jarabe medicado: La receta comienza como la de arriba. Una vez que el jarabe de azúcar simple esté listo, déjelo enfriar. Ahora vierta una cucharadita de Fumagillina-B en media taza de agua y revuelva. La droga no puede disolverse en el jarabe, así que necesita disolverla en agua corriente antes de revolverla en el jarabe. Este medicamento protege a las abejas de una enfermedad común de las abejas, la Nosema. Si quiere, puede añadir *Honey B Healthy*, un suplemento alimenticio lleno de aceites esenciales que mantendrá a sus abejas rebotando y zumbando.

Colocando a sus abejas en su nuevo hogar

Es hora de la parte realmente divertida. Está bien estar nervioso. Después de todo, está a punto de experimentar una gran primera vez. Necesita respirar para relajar sus nervios, tomarse su tiempo, y saborear la experiencia. En poco tiempo, descubrirá que las abejas son bastante cooperativas y dóciles.

Repase las instrucciones tan a menudo como sea necesario para que las entienda y se sienta cómodo con ellas. Ensaye los pasos antes de que sus abejas lleguen si es necesario. Sin presiones, pero debe asegurarse de hacer lo mejor para evitar complicaciones y accidentes.

El día que recoja a sus abejas, es ideal para colocarlas en la colmena esa tarde. Si no puede hacerlo, espere hasta la tarde del día siguiente. El día debe estar despejado y no debe haber viento. Si hace frío y llueve a cántaros, déjelo para el día siguiente. En casos extremos de emergencia, cuando no pueda mantenerlas en la colmena, puede dejarlas en la caja durante unos días más, pero asegúrese de que los lados de la caja se rocían dos o tres veces al día con jarabe de azúcar, mientras hace lo necesario para preparar la colmena. No deben permanecer en el paquete más de cinco días, así que cuanto antes las tenga en la colmena, mejor. Si lo considera, probablemente han estado en esa caja durante días antes de llegar a su casa.

Instalar las abejas el mismo día o dentro de las 48 horas evita que se formen enjambres porque su nueva casa les parecerá desconocida. A continuación, se detalla cómo funciona el proceso de instalación.

Método de instalación uno

Este método requiere que las abejas dejen el paquete por su cuenta. Lo primero que hay que hacer es bloquear la entrada con un puñado de hierba para evitar que las abejas escapen. Afortunadamente, algunos paquetes vienen con latas de alimentación obstruidas en la entrada, así que puede que no sea necesario hacer esto.

Ahora, necesita quitar la jaula de la reina. Para ello, rocíe un poco de jarabe de azúcar en las rejillas del paquete, y luego golpee suavemente la caja en el suelo un poco. Esto mueve a las abejas al suelo de la caja y le da unos segundos para destapar la entrada, sacar la jaula reina y volver a tapar la entrada. Algunas abejas estarán atadas a la jaula, pero no se preocupe, solo son muy protectoras de la reina. Mientras tanto, abra la caja de la colmena y saque unos tres marcos para dar a las abejas mucho espacio para moverse y descubrir su nuevo hogar.

La jaula de la reina tiene dos extremos tapados, uno con caramelo y el otro sin caramelo. Saque el tapón de la punta de caramelo con un palillo o un cuchillo y coloque la jaula dentro de la colmena. Las abejas comerán a través del caramelo para liberar a la reina, lo que puede llevar de tres a cuatro días. Ahora regrese al paquete y deles un poco más de jarabe antes de golpearlas suavemente contra el suelo otra vez.

Desconecte la entrada y ponga la caja al revés con la entrada mirando hacia el interior de la caja de colmena. Déjela reposar allí durante unas horas, para que las abejas salgan de la caja a su propio ritmo. Puede que todavía haya algunas abejas en la caja después de todas esas horas, pero está bien. Ahora quite la caja de la parte superior de la colmena y coloque la tapa de la colmena. Sin embargo, deje la caja destapada para que las abejas que queden allí puedan unirse al resto de la colonia cuando estén listas. También debería haber traído un reductor de entrada; lo va a necesitar para evitar que las abejas salgan volando.

Método de instalación dos

Esta es una instalación por sacudida. Lo primero que hay que hacer aquí es rociar suficiente jarabe de azúcar en las abejas a través del paquete. Luego se saca la lata de alimentación para liberar la entrada. Quitar la jaula de la reina, y tratarla de la misma manera mencionada en el método uno. Una vez que la jaula está destapada y dentro de la caja de la colmena, saque suavemente a las abejas de la caja y métalas en la colmena. No apreciarán todas las sacudidas, pero es un método efectivo.

Alimentar a las abejas con jarabe de azúcar es un deber, independientemente del método de instalación que elija. Las abejas necesitan suficiente néctar y muchas abejas nuevas para producir cera de abejas para construir panales, donde la reina comenzará a reproducir crías y los recolectores almacenarán el polen y el néctar. Ahora ve por qué necesita darles una ventaja con esas pulverizaciones de azúcar.

Cómo instalar los núcleos

Cuando lleve a casa su colonia de núcleo, coloque la caja justo encima de su caja de colmena y abra rápidamente las entradas sacando las pantallas. Las abejas saldrán de la caja y se dirigirán al cielo, volando en círculos justo encima de la colmena en un *vuelo de orientación*. El vuelo de orientación permite a las abejas determinar la posición de la colmena con respecto al sol.

Deje la caja de núcleo en la colmena durante uno o dos días para que las abejas se acostumbren a los alrededores. No se preocupe por el enjambre, volarán por un rato, pero luego volverán a su pequeña caja de núcleo. Es importante tener en cuenta que algunas colonias de núcleo son más fuertes y tienden a poblarse más rápido que otras, así que, si observa un montón de abejas pasando el rato delante de la entrada, es una señal de que el espacio se está haciendo demasiado pequeño y necesita instalarlas inmediatamente.

Antes de trasladar las abejas de su antiguo hogar al nuevo, hay que sacar de tres a cinco marcos de la caja de la colmena para hacer espacio para los marcos de los núcleos. Tome su ahumador y eche un poco de humo en la entrada y en las pantallas de la colmena. Esto las calmará lo suficiente para que usted haga la transferencia. Levante suavemente los marcos de la caja de núcleo y colóquelos en la colmena. Cada vez que levante un marco, inspecciónelo para ver si contiene larvas, miel y polen. Si ve algo que parece fuera de lugar, llame a su criador de inmediato.

Si los marcos y las abejas están en perfectas condiciones, colóquelos en la colmena, pero en el orden exacto en el que estaban mientras estaban en la caja de núcleo. Si todavía tiene espacio para más marcos, puede añadir uno vacío entre los marcos de cría y de miel para motivar a las abejas a construir allí el panal. No haga esto si encuentra menos de tres marcos de cría en la colonia de núcleo, porque es mejor no separarlos todavía. Dejarlos juntos también permite a las abejas obreras regular la temperatura necesaria para que las pequeñas abejas alcancen la madurez.

Cuando haya terminado de mover todos los marcos dentro de la colmena, mire dentro de la caja del núcleo para ver si dejó la reina atrás, asumiendo que no la vio durante el traslado. Si no está en la caja, está en la colmena, así que puede volver a poner la tapa de la colmena. En este punto, puede elegir hacer una de dos cosas: dejar la caja abierta en la colmena o en el suelo delante de la entrada de la colmena durante 24 horas más para asegurarse de que las abejas que se dejaron atrás en ella encuentran el camino a su nuevo hogar.

¿Qué sigue?

Después de instalar las abejas en la colmena, déjelas estar tranquilas de seis a nueve días, exceptuando las veces que necesite alimentarlas. Y cuando las alimente, hágalo breve y váyase. Sin embargo, siempre compruebe si la reina está viva y haga lo que se supone que deben hacer las abejas reinas, es decir, abejar a un montón de abejitas.

Si compró abejas empaquetadas, las que vinieron con la reina encerradas en una jaula, debe asegurarse de que ha sido liberada por las abejas obreras. Si todavía está encerrada allí, abra la pantalla y déjela salir sola para unirse al resto de la colonia.

Si ha comprado una colonia de núcleo, no necesita buscar a la reina per se. Simplemente busque nuevos huevos. Ahora deje que las abejas se pongan cómodas, construyan su panal y hagan abejas bebé.

Capítulo siete: Su Majestad, la Reina

¿Cuál es el papel de la abeja reina en la colmena? ¿Qué hace ella? ¿Qué tan importante es ella, realmente? Una cosa es segura; ella es un miembro muy importante de esa comunidad.

La reina es un factor clave en todo lo que sucede dentro de una colonia saludable. Ella puede ser la única reina en una sola colonia de más de 60.000 abejas. "Puede ser" porque hay algunas excepciones a la regla.

La mayoría de las abejas son obreras que ayudan a la reina a poner los huevos. Aunque la mayor parte de su trabajo no está particularmente relacionado con la puesta de huevos, es importante para la supervivencia de la colmena. Por ejemplo, las abejas obreras se encargan de almacenar polen y miel durante toda la primavera y el verano. Estos depósitos son lo único que asegura la supervivencia de la colonia durante el invierno, cuando la búsqueda de alimento es casi imposible, después de lo cual su majestad regresará a sus deberes de puesta de huevos.

¿La Reina está a cargo de la colonia?

Los apicultores necesitan entender el papel de la reina y su relación con otras abejas. Saber esto les ayudará a entender mejor el funcionamiento de una colmena sana y notar rápidamente cuando las cosas van mal. Aunque la apicultura existe desde hace muchos años, los investigadores siguen esforzándose por entender las características de la vida de la reina. ¡Esto hace que la apicultura sea una experiencia siempre emocionante!

La vida de la reina está más manipulada y organizada de lo que su nombre indica. Todo en su vida, desde el día en que es seleccionada hasta sus vuelos de apareamiento y sus habilidades para poner huevos, está siendo planeado por todos menos por ella. Es comprensible asumir que ella es una especie de tomadora de decisiones, dado que es la reina, pero no es así como funciona. La reina no tiene el poder de estar a cargo en la colmena. De hecho, es seguro llamarla más bien una figura de marioneta.

Ella es definitivamente la "chica estrella del club", pero solo porque es la única que puede poner huevos fecundados. Su vida, por otro lado, está dictada por la gran cantidad de abejas obreras. Las abejas obreras tienen el poder de instalar una nueva reina o incluso de asesinar a una ya existente cuando les apetezca. La reina solo tiene el control de aumentar la población y cuándo.

¿Qué son las copas de la reina?

Las copas de reina son copas redondeadas hechas de cera que se construyen específicamente para albergar un huevo que eclosionará para convertirse en la próxima reina. Como apicultor, siempre debe estar atento a las copas reales cuando realice inspecciones de la colmena porque estas abejas obreras no construyen copas reales sin motivo. Puede significar que están considerando la posibilidad de formar un enjambre. También puede significar que se está trabajando en una coronación.

Durante las inspecciones, si ve copas de reina con huevos y algún líquido blanco en ellas, también verá panales que han sido sacados para crear una celda de reina. Debe prestar atención a tales desarrollos porque significa que las abejas obreras han reconocido finalmente la copa reina y están trabajando para coronar una nueva reina. Esto es un gran indicio de enjambre.

El tratamiento real

Tan pronto como se construya una copa de reina y se coloque un huevo dentro de ella, las abejas obreras, que sirven de nodrizas, comenzarán a expandir el panal hasta 2,5 cm de longitud. Esto es para crear suficiente espacio para que las larvas alcancen la madurez. Al noveno día, la celda se incrustará en una fina capa de cera y eclosionará después de unos dieciséis días.

Cuando la nueva reina nazca, las nodrizas alimentarán a su jalea real por más tiempo que los tres días de alimentación con jalea real que reciben los zánganos y las abejas obreras. Solo la reina puede comer jalea real durante toda su etapa de larva, nadie más.

El nacimiento de la Reina

La nueva reina comienza a eclosionar después de dieciséis días. Comienza a salir de la copa de la reina, a través de la capa de cera. Una vez que su cabeza comienza a asomar, las nodrizas proceden a ayudarla masticando su camino también.

La asombrosa anatomía de la reina

La reina es obviamente la más grande de la colonia. Sus alas solo son lo suficientemente largas para alcanzar la mitad de su cuerpo, a diferencia de las otras abejas cuyas alas cubren completamente su abdomen. Una reina tiene un tamaño de unos 2 cm, siendo su característica más apreciada sus órganos reproductivos, como la espermateca. La espermateca es la parte del cuerpo donde almacena todo el esperma que recoge durante los vuelos de apareamiento. Esta reserva de esperma le servirá durante toda su vida, y los usará para fertilizar los óvulos que maduren para convertirse en abejas obreras.

El aguijón de la reina no es tan punzante como el de las abejas obreras. Es suave y le permite picar muchas veces sin morir por la pérdida de su aguijón. Ella usa su aguijón para posicionar los huevos durante y después de la puesta. También usa su aguijón para matar a otras reinas. Aparte de todo eso, las reinas son generalmente tranquilas, y en su mayoría inofensivas para los apicultores.

Marcando a la Reina

Una reina es bastante fácil de encontrar en una colmena, cuando finalmente encuentra el marco sobre el que está descansando, es decir. Es común que los apicultores mejoren la identificación de la reina a medida que pasa el tiempo. Sin embargo, también es común "marcar" a la dama. No es nada demasiado extremo, solo un pequeño punto en su tórax, que la hace sobresalir del resto de las abejas.

El color con el que está marcada representa el año en que nació. Esto es útil cuando se trata de determinar si es demasiado vieja y necesita ser reemplazada. Marcar una reina no es un servicio gratuito. Cuesta entre 5 y 10 dólares, pero vale cada centavo.

Cuando ordene sus abejas, solicite una reina marcada. No importa si es experimentado o principiante. Los pros de marcar su reina superan los contras, que son literalmente cero (si no cuenta el costo).

El papel de la Reina en el enjambre

Una de las razones por las que una colonia puede decidir formar un enjambre es la superpoblación. En el momento en que la colmena empieza a atestarse, la colonia podría querer buscar refugio en otro lugar. Aquí hay un desglose de todo lo que sucede justo antes de un enjambre.

La reina seguirá haciendo lo suyo y poniendo huevos mientras las abejas obreras van a sus espaldas para construir copas de reina en preparación para una nueva reina. Estas obreras pronto dejan de alimentarla para hacerla lo suficientemente ligera como para llevarse casi la mitad de la colonia, formando un enjambre. Dejan la colmena y acampan en un lugar temporal mientras algunos miembros buscan un sitio permanente. En resumen, la colonia se reprodujo tanto que tuvieron que separarse, llevándose a la reina inicial lejos de la colmena, para no volver nunca más.

Una característica importante de este proceso es cómo todos menos la reina tiene voz en el asunto. La colonia decide coronar a una nueva reina. La colonia decide dejar de alimentar a la reina inicial para que sea lo suficientemente ligera para volar. En resumen, la colonia, principalmente abejas obreras, toma todas las decisiones, incluyendo el destino de la reina.

Muerte a sus hermanas

Cuando el enjambre esté probablemente a kilómetros de distancia, las nuevas copas de reina comenzarán a eclosionar. La primera reina que salga tendrá que tomar una decisión. Puede quedarse y ser coronada como la nueva reina de la colmena, o tomar algunas abejas y salir para hacer un hogar en otro lugar. La mayoría de las veces, estas reinas eligen permanecer en la colmena, y esta decisión viene con una dura tarea. Debe encontrar a sus hermanas y matarlas.

El asesinato de sus hermanas puede parecer brutal, pero debe seguir siendo la única reina del reino. Buscará las celdas de la colmena y masticará la tapa de cera con la ayuda de otras abejas obreras listas para ayudarla a establecer su dominio. Una vez que atraviese la barrera, usará su aguijón para quitarles la vida.

¿Qué pasa si dos reinas salen del cascarón al mismo tiempo?

Si dos reinas logran atravesar sus celdas al mismo tiempo, se enfrentarán en una lucha a muerte. La sobreviviente obtiene el trono.

¿Qué pasa si ella hace un enjambre?

En raros casos, la reina recién nacida decidirá tomar algunas abejas y abandonar el barco, siguiendo los pasos del enjambre principal. El segundo enjambre se llama el enjambre de después.

La siguiente reina en eclosionar puede elegir tomar la misma decisión. Puede que quiera llevarse un puñado de abejas y comenzar una nueva colonia en otro lugar. Si esto sucede con todas las reinas potenciales, puede llevar a la diezma de la colonia (pero esto es muy raro).

¿Cómo funciona el apareamiento?

Cada reina hace un viaje llamado vuelo nupcial poco después de nacer. Ella va a un lugar y envía una señal para atraer a los zánganos machos a su ubicación. Esta ubicación se llama el *área de concentración de zánganos*. Una reina puede aparearse con unos diez o veinte zánganos machos. Todos los zánganos que se aparean con la reina lo hacen a un gran costo: sus vidas. Al aparearse, todos sus apéndices son removidos de sus cuerpos.

Los Huevos de la Reina

Cuando la reina regrese a la colmena después del vuelo de apareamiento, comenzará sus deberes como la ponedora oficial de huevos. Es capaz de poner unos 2.000 huevos cada día. Los fertilizados se convertirán en abejas obreras o reinas, mientras que los no fertilizados se convertirán en zánganos.

El papel de la reina en la renovación de la diversidad genética

El ADN de la reina, como el de todas las abejas hembras, tiene 32 cromosomas. Las abejas hembras reciben la mitad de sus cromosomas de la reina, mientras que la otra mitad proviene de cualquiera de los zánganos con los que se apareó la reina. La cantidad y el origen de los zánganos que participan en el vuelo nupcial son inciertos, por lo que la diversidad genética entre las abejas está asegurada.

Se denomina "renovación" al proceso por el cual se establece una nueva reina debido a una serie de razones, como la mala genética de la reina existente, su muerte o la falta de productividad, probablemente debido a la vejez. Se recomienda instalar una nueva reina a partir de un acervo genético totalmente diferente para asegurar la supervivencia de la colonia y ayudar a aumentar la productividad.

Interacción en la colmena

La reina libera aquello de la *feromona reina*. Esto envía señales a las abejas obreras sobre su productividad y salud. En el momento en que las obreras son incapaces de percibir la feromona con la fuerza a la que están acostumbradas, la interpretan como una señal para preparar una nueva reina porque las abejas se han convertido en demasiadas en la colmena.

Las abejas obreras se encargan de cuidar de la reina, de su aseo y de su alimentación. La supervivencia de la reina depende de los otros miembros de la colonia porque es incapaz de digerir su comida. Las abejas obreras tienen que digerirla primero antes de dársela y limpiar su desorden.

Capítulo ocho: La corte de la reina, los obreros y los zánganos

Las abejas obreras

Un hecho popular sobre las abejas melíferas es que la mayor parte de su población está compuesta por abejas obreras. Estas abejas obreras suelen ser dejadas a la sombra de la reina, pero merecen mucho crédito.

Una típica colonia de abejas melíferas puede aumentar en número para convertirse en una gran familia social. La menor cantidad de abejas en una colonia debe estar alrededor de 60.000 a mediados del verano. Más de la mitad de las abejas son abejas obreras.

Una colonia es un ambiente muy activo, y se deben llevar a cabo muchas tareas para la supervivencia de la colmena. Las abejas obreras son las encargadas de realizar estas tareas. Las tareas de la colmena, como las de cualquier hogar normal, dependen de las necesidades de la colonia. La edad de la abeja también es un factor importante.

La reina puede recibir mucha atención debido a su importante papel como madre de la colonia, pero como se mencionó en el capítulo anterior, ella no es la que manda. Si no fuera por las miles de abejas que trabajan diariamente para asegurar la supervivencia de la colmena, la reina no duraría más que unos pocos días.

¿Cuál es el papel de las abejas obreras forrajeras?

Cuando entra en un colmenar, la mayoría de las abejas que verá volar son abejas obreras. Ver a una obrera zumbar de flor en flor en busca de néctar es una experiencia muy satisfactoria. Estas obreras son las *forrajeras* de la colonia. Su descripción del trabajo incluye la búsqueda de comida y cualquier otra cosa que la colonia necesite. También son las exploradoras de la colonia, buscando nuevas ubicaciones de colmenas en la preparación para un enjambre.

Las forrajeras no son propensas a la agresión. Están más preocupadas por la recolección de polen y néctar. Mientras mantengas una distancia segura, puede disfrutar viéndolas hacer lo suyo sin miedo.

Datos divertidos sobre las obreras

Una abeja obrera es una abeja obrera... eso es todo. Hacen todo el trabajo de mantenimiento de la colmena y las actividades dentro de ella, desde la defensa de la colmena hasta la atención a las abejas bebé.

Las obreras son asignadas a tareas basadas en sus edades. Sin embargo, esta progresión general no importa cuando las condiciones son extremas, y la colonia está desesperada. Por ejemplo, las abejas obreras más jóvenes están a cargo de la producción de cera porque son simplemente las mejores en ello. Sin embargo, si la colmena no tiene suficientes obreras jóvenes, las obreras mayores tienen que hacer el trabajo.

¿Puede una abeja obrera picar?

Claro que sí. Todas las abejas hembras son capaces de picar, especialmente las obreras porque están a cargo de la seguridad de la colmena. Lo único triste es que una abeja obrera solo puede usar su aguijón una vez porque está punzante y se atascará en la piel de su víctima. La separación de su aguijón la matará. Es por eso que una abeja no pica hasta que es atacada. Literalmente dan su vida por su hogar.

¿Son todas las abejas obreras hembras?

Toda abeja obrera es una hembra, producto de los huevos fecundados de una reina apareada. Lo mismo se aplica a las reinas. La única diferencia es que una crece para unirse al grupo de trabajo de la colmena mientras que la otra es criada para convertirse en la madre de la colmena. En resumen, todos los huevos fertilizados eclosionan para producir hembras, abejas reinas o abejas obreras. El tipo y la cantidad de alimento que se les da durante las etapas de la larva determinan si obtienen una corona o una escoba. Cuando la colonia necesita una nueva reina, las abejas obreras nodrizas escogen unos pocos huevos fertilizados al azar en la parte posterior como reinas potenciales.

¿Ponen huevos las abejas obreras?

Sí, una abeja obrera puede definitivamente poner huevos, pero no es algo que parezca gustarles. Además, las abejas obreras no deben añadir la puesta de huevos a su larga lista de tareas. Solo pueden dar a luz huevos no fertilizados, que incuban para convertirse en abejas zánganos.

Por muy importantes que sean las abejas zánganos, no es conveniente tener demasiados en una colonia, especialmente una sin reina y sin huevos fertilizados para criar una. Una colonia como esta está condenada si no tienen un apicultor para salvar el día.

La progresión de las tareas de la abeja obrera

Cuando nacen las abejas obreras, todas sus tareas permanecen dentro de la colmena durante la primera mitad de sus vidas. No se les da ningún trabajo fuera de la colmena hasta que son mucho mayores. Los trabajos incluyen el abastecimiento de la cría y el manejo de las tareas internas de la colmena.

Día 1 al 3 (Primeros deberes de la abeja obrera)

Cuando una nueva abeja obrera mastica su capa de cera y emerge como una abeja adulta, ya tiene dos tareas. O bien sorberá un poco de miel de una celda de miel abierta o de otra abeja. Entonces comenzará a limpiar la celda de la que acaba de salir; si no, la reina no soltará un huevo en la celda, aparentemente, no le gustan las celdas sin pulir. En los próximos días, la abeja obrera trabaja para mantener los panales. Durante este período, se encargará de limpiar y pulir los panales de cría.

Día 3 al 16 (Tareas de la casa de la abeja obrera)

No es una ciencia exacta, pero se ha observado que las abejas en esta etapa son las sepultureras de la colmena. Las abejas mueren todos los días en la colmena, algunas por causas naturales, y otras, como las abejas obreras de verano, mueren después de seis semanas. Algunas mueren por enfermedades. La abeja sepulturera es responsable de la disposición de los muertos lejos de la colonia.

Día 4 al 12 (Las abejas obreras se convierten en abejas nodrizas)

Cuando las abejas obreras jóvenes adultas llegan al final de su primera semana, deben haber desarrollado glándulas alimenticias de cría que se pueden encontrar dentro de su boca. Estas glándulas producen ciertas secreciones como la jalea real y otros alimentos nutritivos necesarios para alimentar a las larvas. Se sorprenderá de cuánto tiempo invierten las abejas nodrizas en alimentar a las crías.

A pesar de que las visitas individuales a las celdas de cría duran unos 20 segundos, los estudios descubrieron que cada larva es visitada más de 1.300 veces al día. La alimentación de la cría debe ser la tarea más vital de la abeja obrera después del manejo de la reina. Esto se debe a que la colonia podría no sobrevivir si se llena de abejas adultas jóvenes desnutridas.

Día 7 al 12 (Las obreras se gradúan como asistentes de la reina)

En esta etapa de la vida, las abejas obreras son promovidas a asistentes de la reina. Su único trabajo es atender a la reina, lo que puede parecer una brisa considerando que hay muchas y solo una de ellas, pero no lo es.

El séquito de la reina debe prepararla, alimentarla y deshacerse de sus desechos corporales. De esta manera, la reina puede concentrarse en su importante tarea, que es poner huevos.

Como se ha mencionado, las abejas obreras pueden matar a la reina. Su séquito puede decidir matarla para el progreso de la colmena, como cuando la productividad es baja debido a sus defectos. La matarán y coronarán a una nueva reina.

Día 12 al 18 (Abejas productoras de miel)

Las forrajeras se encargan de recolectar el néctar de las flores y traerlo de vuelta a la colmena. Este néctar se convierte en miel. Cuando una forrajera regresa con néctar, lo saca de su estómago de miel y lo pone en una abeja productora de miel. Esta abeja procede a añadir ciertas enzimas al néctar, lo que reduce su contenido de humedad. Cuando todo esto está hecho, la abeja coloca la miel en celdas de panal y las sella con cera.

Aunque estas abejas son las principales responsables de la producción de miel, también abanican la colmena con sus alas. Esto ayuda a reducir la humedad y a enfriar la colmena. Esta es una tarea vital porque la producción de miel aumenta los niveles de humedad de la colmena, lo cual no es saludable para la colonia.

Día 12 al 18 (Producción de cera de abejas)

Las abejas obreras en esta etapa son responsables de la producción de cera de abejas. Tienen ciertas glándulas bajo su abdomen, que les ayudan a producir cera. Para producir una cantidad razonable de cera diariamente, las abejas tienen que comer más miel que las otras obreras.

Todas las abejas obreras son capaces de producir cera. Sin embargo, el trabajo se asigna a este lote porque son más productivas en esta época de sus vidas. Además, hay más que suficiente trabajo para las otras abejas de todos modos.

Día 18 al 21 (Equipo de seguridad de la colmena)

Este conjunto de abejas es el ejército de la colmena. Son las abejas guardianas, la primera línea de defensa de la colonia. Este es el último papel en la colmena de una abeja obrera joven y adulta.

Como apicultor, estas damas le saludarán primero cuando vaya a realizar las inspecciones. Su trabajo es proteger la colmena de invasores como avispas, avispones y, por supuesto, apicultores. También inspeccionan todas las abejas que entran en la colmena. Usan el olor para identificar las abejas que no pertenecen a su colonia, y se aseguran de que no entren. De esta manera, no son robadas por las colmenas cercanas.

Los vuelos de orientación de abejas obreras podrían asustarlo

Incluso cuando están confinadas a las tareas domésticas, las abejas obreras salen de la colmena todos los días. Pero no van muy lejos, simplemente vuelan alrededor de la colmena por un rato. Esto se hace para conocer el terreno donde viven y deshacerse de los residuos.

Suele ocurrir en una agradable y cálida tarde y puede asustar a un apicultor porque parece que toda la colonia se va.

Los zánganos

Bienvenido al club de los chicos. Si mira dentro de su colmena, encontrar un zángano en la zona de cría es muy difícil. Solo puede haber dos razones para esto: las abejas obreras tienen reglas estrictas sobre los zánganos que se mantienen alejados de la cría, o los zánganos ni siquiera se molestan en ir al centro de la colmena.

Los zánganos se encuentran generalmente hacia el borde de la colmena, a unos pocos marcos de distancia de la cría. También se les suele ver con un montón de otros zánganos, solo para relajarse, como en un típico club de chicos.

Hay muchas diferencias entre los zánganos y las abejas obreras. La más obvia es que los zánganos son todos machos. A diferencia de las abejas melíferas, no se dedican a la producción de miel. No tienen aguijones y por lo tanto no pueden picar. Son más grandes que las obreras y tienen ojos increíblemente grandes. Los zánganos también tienen el lujo de madurar a su propio ritmo y vivir más tranquilamente que el resto de la colmena.

Una abeja joven adulta típica mastica su celda después de veintiún días, mientras que los zánganos tardan veinticuatro días. En el momento en que una abeja obrera emerge, se le asigna rápidamente una tarea, y poco después, se encarga de los asuntos internos de la colmena. Mientras tanto, los zánganos se toman su tiempo para madurar. Solo tienen una responsabilidad en la colmena, y no pueden hacerlo hasta que tienen unos seis días. Desde su aparición hasta los seis días de edad, no hacen nada más que comer y pasar el rato.

Los zánganos no se alimentan por sí mismos. Lo primero que hacen los zánganos cuando emergen es aprender a pedir comida a las obreras, especialmente a las nodrizas. Las nodrizas les dan una mezcla de comida para cría, miel y polen, e inmediatamente después de comer, los zánganos pasan el rato con el resto del club de chicos.

¿Cómo se producen los zánganos?

La reina se aparea una sola vez, y durante este tiempo, puede hacerlo con más de diez zánganos. Muchos criadores de reinas se esfuerzan por asegurar que cada reina virgen tenga al menos veinte zánganos listos para aparearse cuando se dirige al área de congregación de zánganos. Los criadores que crían reinas también suelen encontrar zánganos de cría.

La mayoría de las colonias de abejas producen un gran número de zánganos, especialmente cuando hay exceso de néctar en el pico de la temporada de enjambrazón. Estas colonias van más allá para crear celdas de zánganos para que la reina ponga un huevo sin fertilizar, garantizando un flujo constante de abejas zángano. A los criadores de reinas les encanta esta temporada por la gran cantidad de zánganos disponibles para participar en los vuelos de apareamiento.

Sin embargo, hay veces en que el número de zánganos es peligrosamente bajo. ¿Qué sucede entonces? En ciertas áreas como el sur de California, los veranos suelen ser secos, y las abejas no son grandes fanáticas de producir zánganos en estas condiciones. En tiempos como estos, la reina reproductora interviene y proporciona zánganos adicionales en preparación para el vuelo de apareamiento de la reina.

Lo más probable es que encuentre un patio de producción de zánganos a pocos minutos de un montón de patios de apareamiento. Estas colonias de zánganos se crían para ser la mejor y más fuerte población. Se alimentan semanalmente, durante toda la temporada, con suplementos de polen y jarabe a pesar de las condiciones ambientales actuales. Las colonias de zánganos están mal acostumbradas, sin saber nada de lo que hay fuera de la abundancia. A veces ni siquiera saben que acaban de pasar por una sequía. Para ellos, la vida es genial.

Cada colonia de zánganos tiene una reina confinada a una caja en el extremo inferior de la colmena, junto con suficientes marcos de panales de zánganos y aún más comida. Este aliciente les anima a llenar las celdas con huevos no fertilizados, que luego maduran en zánganos.

¿Qué es un panal de zánganos?

Los zánganos son el grupo menospreciado de la colmena para un apicultor. Esta indiferencia suele llevar a que los panales de zánganos sean menospreciados. Una colonia típica trabaja para producir panales de dos tamaños: tamaño de zángano y tamaño normal. La mayoría de los panales que circulan por las empresas de suministro de abejas casi nunca son de tamaño zángano, lo que significa que los huevos de esas celdas madurarán hasta convertirse en abejas obreras. Además, los apicultores prefieren abejas obreras que producen miel a zánganos que solo comen la miel.

A pesar de los esfuerzos del apicultor por criar principalmente obreras, cada colmena tiene el instinto de criar una cantidad considerable de abejas zánganos, especialmente en preparación para un enjambre. Para criar estos zánganos, la colmena necesita unos cuantos marcos con celdas de panal del tamaño de un zángano, pero en ausencia de estos, la colonia tiene que encontrar una solución alternativa a su problema de zánganos. Las abejas normalmente se conforman con construir un panal provisional de zánganos entre los marcos. O, en el caso del viejo panal dañado, las abejas construyen rápidamente algunos panales para zánganos en su lugar. Como apicultor, se encontrará de vez en cuando con viejos panales dañados que las abejas están convirtiendo en panales para zánganos.

Los zánganos de ojos blancos

Por lo demás, los zánganos saludables con ojos blancos son cosas que no se ven todos los días, pero este tipo de mutación ocurre de vez en cuando a zánganos perfectamente saludables. Si se pregunta por qué hay zánganos de ojos blancos, pero no obreras de ojos blancos, es por la naturaleza de los genes recesivos. Entre todas las abejas de una colonia, los zánganos son más propensos a expresar mutaciones genéticas recesivas. La principal diferencia entre los zánganos y las abejas hembras es que los primeros comienzan como huevos no fertilizados, mientras que los segundos son fertilizados. Esto lleva a que el zángano posea solo un conjunto de cromosomas de un solo progenitor. Esto hace posible que los genes recesivos se expresen fácilmente, liberándose de vivir a la sombra de un gen dominante.

Los zánganos con esta mutación parecen normales. Zumban alrededor de la colmena como las otras abejas, se relajan, se alimentan y viven la vida perezosa de un zángano normal. Sin embargo, las cosas están lejos de ser normales para ellos. Nunca asistirán a ningún vuelo de apareamiento, nunca volarán a un área de congregación en busca de reinas. Están atrapados dentro de la colmena para siempre porque nacen ciegos.

La vida de los zánganos en pocas palabras

Imagine una abeja incapaz de producir cera o miel, incapaz de recolectar néctar, sin preocuparse por el bienestar de la cría, no involucrada en la seguridad de la colmena, y que ni siquiera tiene un aguijón. El único propósito del zángano es aparearse con una reina. ¿Ve sus enormes ojos? Es muy útil cuando se está buscando pareja

Los zánganos no se aparean dentro de una colonia. Salen de la colmena unos seis días después de emerger, siempre que las condiciones climáticas sean favorables. Cuando un zángano está listo para aparearse, llena su gran cuerpo con miel y va en busca de áreas de congregación de zánganos, que son lugares específicos donde miles de zánganos esperan para aparearse con reinas vírgenes. Una reina es capaz de aparearse con doce o veinticinco zánganos, pero cada zángano solo puede aparearse una vez. Esta es su primera y última experiencia de apareamiento. Muere inmediatamente después.

Capítulo nueve: Inspecciones de la colmena

Los únicos apicultores que inspeccionan sus colmenas regularmente son los nuevos apicultores. Muchas personas insistirán en que las inspecciones son una parte importante del aprendizaje de la apicultura. Esto es cierto hasta cierto punto, pero con el tiempo, las inspecciones resultarán más perjudiciales que útiles. En resumen, haga lo posible por no molestar a sus abejas innecesariamente, y cuando tenga que inspeccionar, será mejor que lo haga bien. Inspecciones intrusivas, descuidadas y repetidas son una provocación directa a la estructura del nido. La siguiente sección detalla cómo no inspeccionar, para que no se preocupe de estropear las cosas.

Cuándo inspeccionar la colmena

Debe realizar inspecciones solo cuando sea necesario, a pesar de la frecuencia o las pocas veces de las mismas. Durante los primeros meses como nuevo apicultor, tendrá ganas de saber qué pasa con sus zumbadores. Sin embargo, solo debe inspeccionar cuando sea absolutamente necesario, y no cuando aparezca en su calendario.

Considere cada inspección como una invasión de la privacidad que pone a las abejas al límite y las obliga a limpiar y reconstruir. Tenga en cuenta que su inspección puede causar daños graves. Puede asesinar a sus abejas e incluso a su reina. Puede poner un freno a la recolección de néctar, o incluso ponerlas en riesgo de ser robadas. Con esto en mente, puede ver por qué las inspecciones solo deben realizarse cuando sea necesario.

Una simple regla para las inspecciones

Esta regla es bastante simple: Antes de entrar en su colmenar, saque un cuaderno y escriba estas palabras: "Estoy inspeccionando porque...". Entonces, de la manera más completa posible, escriba la razón de esa inspección. Por ejemplo, "Estoy inspeccionando porque me gustaría saber si la reina ha puesto algún huevo". O, "Estoy inspeccionando porque necesito evaluar los almacenes de miel", o "Estoy inspeccionando porque estoy comprobando si hay signos de enjambre", o "Estoy inspeccionando porque quiero comprobar si hay enfermedades en la cría". Capta la idea.

Si es un nuevo apicultor, puede que esté emocionado y quiera revisar sus abejas todo el tiempo. Intente escribir esto: "Estoy inspeccionando porque quiero saber cómo es un nido de cría", o, "Estoy inspeccionando porque quiero notar las diferencias entre un zángano y las crías de obreras". Cuando escribe su propósito, tiende a mantener las visitas cortas y directas al punto. Una vez que haya terminado con su motivo de inspección, váyase y deje que sus abejas continúen sus actividades.

Cómo decidir el horario de visita

Abrir la colmena en un día cálido se considera ideal. De 10 a. m. a 5 p. m. es su ventana. Miles de abejas obreras suelen salir de la colmena en busca de polen y néctar durante este tiempo. No programe una inspección para un día ventoso, lluvioso o frío, porque toda la familia estará en casa. Con todas las abejas en la colmena, puede que se sienta abrumado por tener que lidiar con todas ellas, especialmente si es nuevo en esto. Además, las abejas tienden a ponerse de mal humor cuando están confinadas a la colmena debido a ciertas circunstancias.

Cómo establecer un programa de inspección

Como nuevo apicultor, un día a la semana no es demasiado frecuente para pasar tiempo con sus abejas. Estos días de visita frecuente le dan tiempo suficiente para averiguar todo lo que pueda sobre las criaturas y cómo funcionan. Piense en su primer año como una orientación. En poco tiempo, podrá señalar cualquier comportamiento anormal. También aprenderá a manipular los cuerpos de la colmena y a trabajar mejor con las abejas. Al final del año, será tan fácil como montar en bicicleta, y todo lo que necesitará hacer es echar un vistazo rápido bajo la tapa para saber si todo está bien o no.

La apicultura es un arte y una ciencia. Como en cualquier otro campo, necesitará practicar a menudo. Tan pronto como se acostumbre, reducirá la frecuencia de sus visitas a unas cinco o nueve inspecciones al año, teniendo unas cuatro inspecciones en primavera y dos en verano.

¿Sabía que cada vez que echa humo dentro y alrededor de la colmena, quita la tapa y hurga mucho, se come una parte de su precioso tiempo? Una colonia necesita uno o dos días para recuperarse de su interrupción, así que, si desea tener mucha miel, es prudente no poner un freno a su productividad.

Preparándose para inspeccionar su colmena

Llega el fin de semana, y el tiempo parece prometedor. Parece un buen día para saludar a sus chicas; el momento perfecto para echar un vistazo a todo lo que ha pasado en su ausencia. Mareado, como se siente, es imprudente lanzarse al colmenar y abrir la tapa de la colmena. Hay algunas cosas que necesitará hacer antes de entrar al colmenar. Es como una cita. Tiene que estar vestido para la ocasión, entre otras cosas.

Repase el resto de este capítulo con cuidado, ya que trata de los pasos necesarios para prepararse para su primera visita a la colmena. Si necesita apoyo moral, puede llevar este libro y a un familiar o amigo al colmenar. Que griten los pasos a distancia y lo guíen durante la inspección.

Las abejas se activan por el olor

Las abejas NO PUEDEN soportar el olor corporal. Antes de ir a visitar a sus abejas, debe asegurarse de que huele bien y que tampoco tiene que oler muy bien. Evite las colonias, los aerosoles para el cabello perfumados o los perfumes porque los olores dulces tienen más efecto en las abejas de lo que las personas creen.

Haga bien también en perder cualquier joya de cuero. Las abejas no aprecian el olor. Quitarse los anillos es también una buena idea, y no es porque las abejas tengan problemas con las joyas brillantes. Una picadura de abeja en el dedo puede desencadenar la hinchazón, y no es conveniente llevar un anillo no expandible si eso ocurre.

Vestirse para la ocasión

Su velo es una parte obligatoria de su vestimenta cuando va a una inspección de la colmena. Esto protege su cara de ser picada y las abejas de quedar atrapadas en su cabello. Si una abeja logra colarse en su velo, no se asuste. No hay nada de qué preocuparse porque no lo atacará hasta que usted la ataque. Es probable que lo haga si entra en pánico, así que mantenga la calma, aléjese de la colmena y quítese el velo con cuidado. Asegúrese de estar a una distancia segura antes de quitárselo. Y lo más importante, trate de no gritar y correr como un loco.

Como nuevo apicultor, tendrá que llevar una camisa de manga larga. Póngase telas lisas y colores claros porque las abejas ven colores oscuros y piensan: "El intruso está armado y es peligroso". Coloque gomas o elásticos alrededor del puño de cada manga y la pierna del pantalón para mantener a las abejas fuera.

Quitando el primer marco de colmena

La inspección siempre debe comenzar con usted quitando el marco de la pared o el primer marco de colmena. Es cualquier marco más cercano a la pared de la colmena. Así es como se hace:

1. Necesitará su herramienta de colmena para este paso. Coloque el extremo curvo entre los dos primeros marcos más cercanos a la pared de la colmena.

2. Gire la herramienta de colmena a un lado para desalojar los marcos.

3. Use ambas manos para sacar solo el segundo marco.

4. Ahora que el marco está fuera, colóquelo suavemente hacia abajo para que descanse verticalmente contra la base de la colmena. Es probable que haya abejas en él, pero no se preocupe por eso. Si tiene un soporte para el marco, úselo para sostener el marco mientras trabaja.

5. Ahora inserte el extremo curvo de su herramienta de colmena entre el primer marco y la pared del marco. Gírelo hacia un lado para separarlas.

6. Retire el primer marco con mucho cuidado y colóquelo en su soporte de marcos o en el suelo. Ahora debe haber suficiente espacio para que pueda ver bien los otros marcos.

La forma correcta de moverse por la colmena

Necesitará su herramienta de colmena si va a trabajar a través de los marcos sin accidentes. Coloque la herramienta entre el ahora segundo marco para separarlo del siguiente. Suavemente transfiérala al espacio donde estaba el primer marco. Esto le proporcionará un amplio espacio para sacarla de la colmena sin lastimar a las abejas. Cuando termine de inspeccionar esta colmena, colóquela de nuevo en la colmena, cerca de la pared.

Repita el proceso hasta que haya pasado por todos los marcos. Cada vez que termine de inspeccionar un marco, siempre colóquelo de nuevo en la colmena, junto al último marco que inspeccionó. Esté atento a la actividad cada vez que coloque dos marcos uno al lado del otro.

Cómo sostener correctamente los marcos para la inspección

Aquí aprenderá a sujetar e inspeccionar correctamente el marco de una colmena. Asegúrese de que está mirando hacia el sol para que la luz brille sobre su hombro, iluminando el marco. De esta manera, podrá ver mejor las pequeñas larvas. Aquí hay una guía paso a paso para inspeccionar ambos lados de un marco:

1. Agarre el marco por ambos extremos de la barra superior, agarrando las pestañas con firmeza.

2. Gire el marco verticalmente y voltéelo hacia su otro lado, como si estuviera atravesando las páginas de un libro.

3. Ahora gírelo suavemente hasta su posición inicial, ¡y eso es todo! Está mirando al otro lado del marco sin herir o asustar a sus abejas.

Cómo saber si necesita más humo

Un par de minutos después de la inspección, debería ver a las abejas alineadas en lo alto de las barras como atletas esperando el silbato. Sus diminutas cabezas están en línea recta, asomando a través de los marcos. LO ESTÁN OBSERVANDO. Esa es su señal para rociarlas con un poco más de humo para confundirlas un poco y así poder terminar la inspección y dejarlas en paz.

Qué observar durante una inspección

Al visitar su colmena, hay ciertas cosas que debe hacer por encima de todo. El propósito de una inspección es determinar la productividad y la salud de toda la colmena. Sin embargo, hay cosas específicas que hay que buscar:

1. *Siempre debe revisar su reina.* Cada vez que vaya a una inspección, esté atento a las señales de que su reina está sana y dejando caer huevos. Puede buscar a la reina o simplemente buscar huevos. Pueden ser pequeños, pero son más fáciles de encontrar que una reina en una colmena de 50.000 abejas.

2. *Siempre verifique su almacenamiento de alimentos y los panales de cría.* Hay 7.000 panales en un marco profundo. Las obreras crían a sus crías y almacenan su comida en estas celdas. Durante cada inspección, siempre revise estas celdas porque revelan la salud y el rendimiento de las abejas.

3. *Examine el patrón de cría.* Esta es otra tarea importante durante las inspecciones. Si encuentra un patrón de cría compacto, significa que su reina está sana y es productiva. Si se encuentra con un patrón de cría inconsistente con pocas celdas ocupadas y muchas vacías, su reina está enferma o vieja y puede necesitar ser reemplazada.

4. *Identifique los alimentos de su colmena.* Debería aprender a reconocer los diferentes alimentos que recogen y almacenan sus abejas. El polen de diferentes colores será empacado en algunas celdas, mientras que otras celdas se verán un poco húmedas. Esas son las células con néctar o agua.

Lista de verificación de la inspección de la colmena

Es fácil que incluso los apicultores experimentados se vean envueltos en todas las actividades que se realizan en la colmena y que olviden los motivos de la inspección. Una lista de verificación de la inspección de la colmena es una herramienta útil para que los apicultores principiantes y experimentados se mantengan al tanto durante cualquier inspección.

Una lista de verificación de inspección también sirve como un registro, para no olvidar las observaciones hechas en la colmena. Este registro le ayuda a identificar las tendencias dentro de su colonia. Si posee más de una colmena, es más importante que nunca registrar sus observaciones e hitos, de tal manera que no los olvide o los confunda.

Las inspecciones de las colmenas varían con cada modelo de colmena. Para la colmena de barra superior, puede levantar fácilmente la tapa y pasar directamente a las inspecciones de los marcos. Para las colmenas Warre y Langstroth, las cajas deben ser desmontadas primero, teniendo en cuenta el orden en el que estaban antes de empezar la inspección. Una última cosa: Siempre comience con la caja en la parte inferior.

Capítulo diez: Lidiando con la enfermedad, plagas y bichos

Esta no es una de las partes divertidas de la apicultura. Todo sería pan comido si no tuviera que pensar en las enfermedades y plagas que afectan a las abejas. No hay nada más desgarrador que perder más de la mitad de su colonia por una infección.

Las abejas, al igual que otros seres vivos, siempre están en riesgo de contraer enfermedades. Algunas pueden ser devastadoras, mientras que otras no son gran cosa. Sin embargo, lo bueno es que hay medidas preventivas contra estas enfermedades, algunas de las cuales dependen de su capacidad de leer las señales a tiempo.

En caso de que se lo pregunte, las enfermedades de las abejas son cien por ciento únicas de las abejas y no se pueden transmitir a los seres humanos, así que usted y su familia están seguros en ese frente. Este capítulo está dedicado a las enfermedades de las abejas y su prevención y soluciones. Las celdas de cría abiertas y tapadas son el primer lugar para mirar cuando se hace un chequeo de salud. No lo olvide.

¿Medicación o no medicación?

Puede pensar que es más seguro mantener los químicos, antibióticos y medicamentos lejos de las abejas, pero no lo es. Puede que le ahorre unos cuantos dólares, pero solo antes de que comiencen los problemas.

Las abejas necesitan una mano extra para ayudarlas con el cuidado de su salud. Si usted elije no dar una mano, no está tan preparado para la apicultura como cree. El riesgo de perder toda la colmena es real. No corra ese riesgo. Hay programas de medicación anual efectivos que puede y debe aprovechar. Sea meticuloso en sus inspecciones porque las enfermedades son más fáciles de tratar en sus primeras etapas. Además, no medicar nunca la colonia cuando hay miel lista para la cosecha en la colmena. Medíquela solo cuando las alzas de miel no estén en la colmena.

Cómo identificar las seis principales enfermedades de las abejas

Siempre debería estar en alerta máxima por las enfermedades de las abejas. Algunas de ellas raramente aparecen, así que probablemente nunca las tratará. Otras son habituales. De cualquier manera, es importante saber qué son, cómo operan, y qué hacer cuando pasan por aquí. Las enfermedades de las abejas grandes incluyen:

La loque americana. Esta es la peor enfermedad de las abejas. La loque americana es una enfermedad bacteriana que ataca a las crías de abejas. Se considera una seria amenaza, especialmente por lo contagioso que es para las abejas. Es capaz de acabar con toda la colmena sin esfuerzo. Aquí están los síntomas:

1. Todas las larvas afectadas sufren de decoloración. Pasan de blanco a marrón oscuro y luego mueren después de ser cubiertas con cera.

2.   Las celdas con crías muertas se ven hundidas, como cóncavas. También tienen pequeños agujeros esparcidos alrededor de la tapa de cera.

3.   El patrón de cría va de apretado y compacto a irregular e inconsistente. Algunos apicultores se refieren a esto como el patrón de escopeta.

4.   Las superficies de las celdas de cría infectadas pueden tener un aspecto grasiento o húmedo.

Todos estos son señales reveladoras de loque americana, pero para confirmar sus sospechas, meta un palillo seco en la larva muerta, dele la vuelta y sáquelo lentamente. Tome nota del material que ahora cubre el palillo. Si parece fibroso, definitivamente es loque americana. El material se extenderá hasta un cuarto de pulgada y luego se romperá como un elástico. Otra forma es observar de cerca la cría muerta. Podría tener lenguas que sobresalen a 90 grados de la pared de la celda del panal. Algunos apicultores también han señalado un olor distintivo, como una taza de pegamento de caballo, vinculado a la loque americana. Si detecta un olor fétido que persiste en su nariz incluso después de salir del patio, sus abejas podrían estar infectadas.

Tratamiento: Si tiene estas sospechas, pida un diagnóstico confirmado al inspector de abejas de su estado. El tratamiento de la loque americana está regulado por la ley estatal de los Estados Unidos. Incluye la quema de sus colmenas y equipos después de los tratamientos químicos. ¿Por qué? Las esporas de loque americana pueden permanecer dormidas pero activas durante unos 70 años.

Puede tomar medidas de precaución como medicar sus colonias con antibióticos aprobados dos veces al año en primavera y otoño. Dos productos que se sabe que previenen exitosamente un brote son la Terramicina u oxi-tetraciclina, y el tartrato de Tylosina o Tylan. Puede comprarlos a los proveedores de abejas o al veterinario. Siga las normas de administración escritas en el producto o dadas por el veterinario.

No se conforme con el equipo usado, no importa cuán barato sea, porque si esa herramienta estuvo alguna vez involucrada en un brote de loque americana, las posibilidades de que tenga esporas causantes de enfermedades son muy altas. A pesar de lo que pueda oír, lijar, limpiar, fregar y lavar no lo arreglará. Siempre compre herramientas apícolas nuevas e higiénicas.

La loque europea. La loque europea, como su prima americana, tiene orígenes bacterianos. Sin embargo, a diferencia de su prima americana, no dejan que las larvas de abeja lleguen a la fase de taponamiento. Aquí están los síntomas:

1. El patrón de cría se vuelve irregular y aleatorio, también llamado patrón de escopeta.

2. Tenga en cuenta que las larvas sanas tienen un aspecto blanco brillante, por lo que un color marrón oscuro o bronceado con un aspecto derretido indica loque europea. Las larvas infectadas también se ven como sacacorchos en el fondo de sus celdas.

3. Cuando hay un brote, casi todas las crías infectadas mueren antes de ser tapadas.

4. Las celdas tapadas pueden hundirse y tener un aspecto perforado como en el caso de la loque americana, pero la diferencia radica en la prueba del palillo. No habrá un rastro fibroso.

5. Puede que detecte un olor desagradable, pero no tan malo como en la loque americana.

¿Recuerda el proceso paso a paso de inspeccionar los marcos? Así es exactamente como verificará si hay infección entre las celdas de cría. Con la luz del sol saliendo por encima de su hombro, incline los marcos para que pueda mirar fijamente el fondo de la celda. Donde piensa que está el verdadero fondo es en realidad solo la mitad de la cuna. El fondo está un poco más abajo.

Tratamiento: Afortunadamente, esta enfermedad no forma esporas resistentes como su prima americana, por lo que no es tan peligrosa. Incluso es posible que las colonias infectadas se recuperen de la loque europea sin ninguna ayuda externa. A pesar de lo destructiva que es, no es tan amenazante como la loque americana y puede ser prevenida o curada con antibióticos aprobados. Los tratamientos preventivos con Tylan o Terramicina en otoño y primavera ayudarán mucho a mantener a las abejas seguras.

Si nota cualquier signo de loque europea, la instalación de una nueva reina detendrá el ciclo de cría y dará a la colonia el tiempo suficiente para deshacerse de las larvas infectadas. Puede ayudar a las abejas a eliminar tantas larvas infectadas como sea posible con la ayuda de unas pinzas. Después de eso, medique a las abejas con Terramicina o Tylan con la dosis adecuada como está escrito en el paquete.

Reemplazar todos los panales y marcos de la colmena después de algunos años es una buena práctica de higiene. Aquí hay algunas razones convincentes por las que debería hacer esto:

1. Desechar los marcos viejos e instalar los nuevos puede ayudar a prevenir la repetición de un brote.

2. Los viejos panales de miel pueden tener todavía alguna medicación de tratamientos anteriores, lo que lleva a un aumento de la resistencia a los medicamentos, asegurando la ineficacia del tratamiento cuando sea necesario.

Nosema. La Nosema es una enfermedad común de las abejas que infecta el tracto intestinal de las abejas maduras. Es la disentería de las abejas. Funciona para debilitar una colonia y reducir la productividad en un 50 por ciento. También es lo suficientemente mortal como para arrasar con toda una colonia. Normalmente ataca justo después de que la colonia se ha encerrado en la colmena durante el invierno. El mayor problema de esta enfermedad es que los síntomas son casi imposibles de detectar hasta que es demasiado tarde. Aquí están los síntomas:

1. La colonia aumenta su población en primavera, pero si la acumulación es lenta, es probable que se infecten.

2. Sus abejas se verán débiles. Incluso podrían temblar o arrastrarse sin rumbo alrededor de la entrada de la colmena.

3.   La colmena tendrá algunas manchas que son particulares de esta enfermedad. Debería ver líneas de heces marrones dentro y sobre la caja de colmena.

Puede prevenir la Nosema eligiendo un lugar para la colmena con una fuente cercana de agua limpia y buena ventilación. La Nosema prospera en condiciones frías y húmedas, así que evite esas condiciones tanto como pueda. Su colmena debe estar salpicada o a plena luz del sol. Si puede, cree una entrada en la parte superior de la colmena para mejorar la ventilación y mantener alejada la Nosema. Por último, es más seguro comprar siempre sus abejas a vendedores de confianza que administren antibióticos antes del envío.

Tratamiento: La medicación para esta enfermedad se hace mezclando jarabe de azúcar y un antibiótico, Fumigilina. Se administra preventivamente en otoño y primavera. Los primeros dos galones de jarabe hecho para alimentar a las abejas en otoño y primavera deben contener el antibiótico. Cualquier otro galón que le dé a las abejas no debe ser medicado.

Cría yesificada: Esta enfermedad general de las abejas es causada por un hongo y afecta solo a las larvas. Es una ocurrencia común a principios de la primavera o en condiciones de humedad. A pesar de lo común que es, no se considera una amenaza seria. Las crías infectadas cambian de color a un blanco tiza, y eventualmente negro. La vida en la colmena continúa normal, por lo que puede que no note nada malo hasta que vea un montón de larvas blancas muertas en la puerta de la colmena. Las obreras sepultureras trabajan duro para deshacerse rápidamente de los cadáveres, así que es probable que dejen algunos en el porche de la colmena o en el suelo cerca de la colmena.

No hay ningún medicamento para la cría yesificada, porque la colonia volverá a funcionar en un tiempo récord. Sin embargo, puede ayudar a acelerar el proceso eliminando cualquier cadáver de cría yesificada que encuentre. Además, remueva el marco con las larvas más infectadas porque siempre hay una. Quémelo y deslice un nuevo marco en la colmena para ayudar a las abejas a empezar de nuevo lo más fácilmente posible.

Cría de saco. Esta enfermedad es causada por un virus similar al que causa el resfriado común. No es una gran amenaza para la colmena, porque las obreras se deshacen de la cría infectada. Las larvas infectadas sufren una decoloración, pasando del amarillo al marrón. Son fáciles de identificar y eliminar porque parecen estar en un pequeño saco lleno de agua.

No hay medicación para la cría de saco, pero la duración del brote puede reducirse si se ayuda a las obreras a deshacerse de los infectados. Además de eso, no hay mucho más que hacer, porque las colonias se recuperan por sí solas cuando se infectan con la cría de saco.

Cría de piedra. Es una enfermedad rara causada por un hongo. Solo afecta a las larvas y las pupas y causa momificación. Las crías infectadas se vuelven sólidas y duras, a diferencia de la cría yesificada, donde se vuelven calcáreas y esponjosas. Puede notar que algunas larvas infectadas están recubiertas con una sustancia verde polvorienta. No existe una medicación para la cría de piedra, porque la mayoría de las veces, las obreras se deshacen de los infectados, y todo vuelve pronto a la normalidad. Puede echar una mano removiendo las momias que encuentre en la entrada o en las celdas de cría.

Plagas de abejas melíferas

¡Incluso sus pequeños zumbadores son molestados por las plagas! Las siguientes son algunas de las plagas con las que tendrá que lidiar mientras cuida a sus encantadoras damas... y zánganos perezosos.

Ácaros de la Varroa: Son artrópodos muy pequeños de aspecto ovalado, marrones y planos. Estos ácaros invaden las colonias y se comen el interior de tantas abejas como pueden sin importar su edad.

¿Cuáles son los efectos de los ácaros de la Varroa en las abejas?

Idealmente, las colonias saludables con un buen número de abejas deberían ser capaces de superar una infestación de ácaros sin problemas, pero nada es tan sencillo. Estos ácaros tienden a multiplicarse en la cría de grandes colonias sanas, lo que, desconocido para ellos, también significa la cría de un gran número de ácaros. Los efectos suelen ser evidentes mucho más tarde debido a la disminución de la energía de la colmena o a la disminución de la población.

Los ácaros de la Varroa son bien conocidos por ser portadores de muchos virus que afectan a las abejas. Por eso una infestación de Varroa siempre deja a la colonia débil, susceptible a otras enfermedades y menos productiva. La deformación del ala, entre otras anomalías del desarrollo, son secuelas comunes de las infestaciones de ácaros.

¿Cómo puedo combatir los ácaros de la Varroa?

Los tratamientos químicos seguros y eficaces para reducir la población de ácaros en una colmena incluyen el Apivar a base de amitraz y el Apiguard a base de timol. Hay soluciones mecánicas efectivas en la lucha contra los ácaros, especialmente cuando se usan además de los tratamientos químicos. Un buen ejemplo es un tablero de fondo tamizado. Este método asegura que los ácaros caigan a través del tamiz y salgan de la colmena. Bastante práctico, ¿no?

Pequeños escarabajos de la colmena: Los escarabajos pequeños de la colmena son plagas de las abejas melíferas que tienen su origen en África. Hicieron su primera aparición en América del Norte alrededor de la década de 1990, y recientemente se han propagado a América Central, el sur de Filipinas e incluso Australia.

Los escarabajos adultos son de color marrón oscuro o negro y crecen solo hasta un centímetro y medio. Las larvas son blancas y tienen aproximadamente el doble del tamaño de un escarabajo maduro. Pasan su etapa de pupa excavando en el suelo alrededor de la colmena antes de convertirse en adultos. Las hembras pronto ponen huevos en pequeños espacios o grietas para continuar el ciclo.

¿Cuáles son los efectos de los pequeños escarabajos de la colmena en las abejas?

Las larvas de los escarabajos hacen más daño que los escarabajos adultos. Este lote destructivo come a través de los panales de miel para darse un festín de polen y miel. Los tapones de cera y los panales son destruidos dondequiera que vayan, y sus desechos corporales fermentan parte de la miel, causando decoloración. Una buena manera de identificar una infestación de escarabajos es a través del olor de las naranjas en descomposición. En casos extremos, una colonia hará un enjambre para empezar de nuevo en otro lugar.

¿Cómo puedo luchar contra los pequeños escarabajos de la colmena?

Al igual que los ácaros de la Varroa, estos escarabajos son una amenaza letal para las colonias subpobladas o debilitadas. Existen tratamientos químicos efectivos como los productos químicos a base de organofosfatos, que actúan como una solución de emergencia. Sin embargo, los apicultores prefieren lidiar con esta forma mecánica: Pueden conseguir una variedad de trampas para escarabajos de colmena en Dadant & Sons. Hay un mini-destructor de escarabajos y una trampa de 10 marcos para escarabajos de colmena.

Polillas de la cera. Las polillas de la cera son insectos que se crían comercialmente para alimentar a los animales comedores de insectos como pájaros y lagartos. Sin embargo, las larvas de color crema con cabeza y patas oscuras son una espina en el costado de los apicultores. También conocidos como gusanos de cera, comen y digieren materiales de polietileno.

¿Cuáles son los efectos de las polillas de la cera en las abejas?

Las polillas de la cera y sus larvas nunca lanzan un ataque directo a las colonias. Lo que hacen es destruir los panales de miel y la miel, lo que puede llevar a la muerte de las abejas y sus larvas. Estas plagas anidan sus huevos en las colmenas porque ciertas proteínas son necesarias para el desarrollo de los gusanos de cera en polillas de la cera, y una de las fuentes de estas proteínas es el panal de cría. Los gusanos de cera siempre tienen la opción de pedir amablemente estas proteínas, pero en su lugar, simplemente mastican su camino a través de los panales de cría, dejando destrucción y muchos túneles a su paso.

¿Cómo puedo combatir las polillas de la cera?

Las colonias saludables son más que capaces de lidiar con estos molestos animales, pero las cosas toman un giro complicado cuando se trata de una enfermedad o una población baja. El polen almacenado y las alzas de miel o incluso las alzas que llevan un panal oscuro son especialmente susceptibles a los ataques del gusano de cera en casas con temperatura controlada o en clima cálido. Las polillas de la cera y los gusanos no prosperan en temperaturas bajo cero, por lo que cualquier producto de paradiclorobenceno como el Para-Moth ayudará a arreglar las cosas.

Capítulo Once: 6 ideas para un jardín favorable para las abejas

Este capítulo detalla cómo atraer a las abejas a su jardín creando un entorno favorable para las abejas, y sus vegetales estarán agradecidos por la bienvenida adición de polinizadores.

Si tiene un jardín, pero le cuesta trabajo, ¡lo que podría necesitar son abejas! Estas mismas increíbles criaturitas son la razón por la que los seres humanos siguen existiendo. El dicho "Las grandes cosas vienen en empaques pequeños" debe haberse referido a las abejas porque hacen mucho por la humanidad.

Así que, ¿por qué debería hacer que sea una necesidad no negociable cultivar más flores favorables a las abejas en su jardín y convertirlo en un santuario para los hermosos zumbadores y otros polinizadores? Porque tendrá muchos más de ellos alrededor. Cuanto más haya, más polinizarán sus plantas, y mejor lo harán. Además, es realmente bueno para las abejas ya que tendrán más que suficiente néctar para hacer toda la miel y la cera de abejas que necesitan, entre otras cosas.

Usted desea asegurarse de que cualquier planta que crezca, esté cien por ciento libre de químicos. Puede que no esté acostumbrado a esta idea, pero dele una oportunidad y déjelas florecer a su propio ritmo. Hay algo en la naturaleza que hace lo suyo. No es fácil replicar los mismos resultados que tiene la madre naturaleza usando cosas como los químicos. Además, como las plantas están destinadas a ser una fuente importante de alimento para las abejas, les haría un gran favor a sus pequeños zumbadores al no usar productos químicos. Esto es un triunfo en todos los sentidos; sus plantas serán polinizadas correctamente ya que tiene las abejas en un jardín sin químicos.

Entonces, ¿cómo exactamente se asegura de que su jardín es completamente seguro para sus abejas de confianza? Aquí hay algunos consejos útiles para que usted y sus abejas estén contentas mientras establece su jardín favorable para las abejas:

1. *Seleccione plantas que atraigan a las abejas.* Lo curioso de las abejas es que les gustan las flores silvestres, los vegetales, las hierbas con flores y las frutas. Conocen las cosas buenas, al igual que usted. Se ha observado que las abejas de Massachusetts prefieren plantas como la albahaca, el tomillo, la menta, el orégano, el cebollino, la borraja, las fresas, los pepinos, los arándanos, las moras, los melones, el azafrán y el tomate, gotas de nieve, brócoli en flor, alforfón, lavanda, calabazas, tulipanes, asters, cosmos, lilas, dientes de león, girasoles, sedum, madreselva, vara de oro, botones de soltero, gaillardia y peonía. Así que, si tiene un jardín lo suficientemente grande como para tener un árbol frutal o dos y muchas de estas plantas, ¡debería ir a por ello! ¡Pues póngase a plantar ahora mismo! Puede elegir entre grandes árboles como la langosta negra, el arce, el zumaque, el sauce, etc. Sus abejas lo amarán por eso.

2. *Asegúrese de colocar las mismas plantas juntas.* La variedad puede ser la supuesta especia de la vida, pero cuando se trata de plantas, debe hacer todo lo posible para asegurarse de que las plantas que elija sean similares. Si va a tener varias plantas, colóquelas en sus propios espacios. ¿Por qué? La razón es bastante simple: Plantas similares cercanas entre sí son los mejores atrayentes para las abejas. Si el espacio se convierte en un problema, puede solucionarlo utilizando una jardinera o una jardinera de ventana. De esta manera,

puede garantizar que sus pequeños zumbadores tendrán una muy generosa y amplia gama de opciones de alimentos.

3. *Deje que sus plantas florezcan.* Cuando haya terminado de recolectar la cosecha de su huerto, es una muy buena práctica dejar que su planta florezca y suministrar a las abejas néctar y polen. Si está en la práctica de cultivar vegetales o hierbas, recolecte la cosecha cuando sea necesario, pero asegúrese de que la planta permanezca intacta. Cuando termine, debe dejarla para que los polinizadores hagan lo suyo.

4. *Siempre asegúrese de que el agua fresca esté disponible.* Podría instalar una piscina, una cascada artificial en su patio trasero, un baño para pájaros con piedras para que las abejas puedan pisar, una manguera que gotee, etc. Tenga en cuenta que hay algunas abejas con una clara preferencia por el rocío de la mañana, debería considerar la posibilidad de plantar algunas hojas de brócoli y de col. De esta manera, las abejas tienen todo el rocío que necesitan para llevar sus asuntos diarios.

5. *Haga lo posible por evitar el uso de productos químicos nocivos como herbicidas, pesticidas o cualquier cosa de esa naturaleza.* Estos productos químicos no deben ser utilizados en su jardín o en cualquier lugar alrededor de su colmenar. Su objetivo es atraer a las abejas, no matarlas. Estos químicos han demostrado ser tóxicos para las abejas y otros polinizadores. Si utiliza una compañía de cuidado del césped, esta prohibición se extiende a ellos también. Mientras que estos químicos son creados y usados con las mejores intenciones, simplemente no puede darse el lujo de usarlos en el momento en que decida convertirse en apicultor.

6. *Las malas hierbas son extremadamente importantes.* Debe hacer un esfuerzo para acomodar las malezas en flor en su jardín. Tréboles, algodoncillo, dientes de león, vara de oro, hojas sueltas, etc. son las principales fuentes de alimento para las abejas. Si alguna vez observa un diente de león a punto de asentarse, acelere el proceso soplándolo. ¡Las abejas se lo agradecerán!

7.

Diferentes tipos de flores favorables a las abejas

El néctar y el polen se obtienen de las flores y las plantas. El néctar es para las abejas como las bebidas energéticas para los humanos. Las abejas obtienen su zumbido del dulce, dulce néctar.

El polen es la proteína de la comida de las abejas. A pesar de su capacidad para viajar a lo largo y ancho en busca de comida, sería encantador salvarlas a unos pocos kilómetros considerando cualquiera de estas plantas para adornar su patio.

Lilas: Se presentan en siete colores diferentes y son bastante fáciles de cultivar. Emiten un atractivo aroma floral para que las mariposas y las abejas sigan viniendo. Lo bueno de las lilas es que crecen más allá del nivel de los ojos, lo que las hace fáciles de cuidar y de contemplar.

Glicinias: Las enredaderas de esta planta emiten un seductor aroma cuando florece, así que no se sorprenda si se despierta y descubre que sus abejas han rodeado completamente esta belleza.

Amapolas: Esta es una bonita flor primaveral que tiene una abundancia de polen. La mayoría de las personas la llaman el bufé de la abeja.

Susana de ojos negros: Esta brillante favorita del estado de Maryland es una adición bienvenida al jardín en cualquier momento. Las abejas disfrutan de su centro lleno de polen y de su néctar siempre fluyendo.

Madreselva: La madreselva tiene una dulce fragancia que es popular para atraer a las abejas e incluso a los pájaros.

Boca de dragón: Esta es una flor particularmente única en forma, color y fragancia. Un hecho rápido sobre las abejas es que no pueden ver el rojo. Literalmente, sin embargo, no tienen el mismo daltonismo con el azul y el amarillo, que es el color de un dragón. La flor tiene forma de campana, lo que es muy conveniente para las abejas cuando cosechan néctar.

Sedums: Los sedums tienden a crecer hacia el final del verano, y esto es perfecto para las abejas que necesitan almacenar comida en preparación para el invierno. Otro hecho divertido sobre las abejas es que algunas tienen la lengua corta. Afortunadamente, las flores de los sedums crecen muy bajo y son fáciles de alcanzar.

Pálida k: Esta flor es conocida por producir una abundancia de flores, lo que es un buen negocio para las abejas y las mariposas.

Cosmos: Esta es una peculiar flor anual que germina a partir de semillas. Es sabio cultivarla en grupos para asegurar que sus abejas no tengan que viajar lejos en busca de la misma planta. Siendo una de las mejores plantas para las abejas, crece hasta una altura razonable de unos cuatro pies y no florece en invierno.

Aster (margaritas de Michaelmas): Las modernas formas híbridas de esta planta contienen muy poco o nada de polen. Son coloridas y muy fáciles de cultivar. Florecen a finales del verano y proporcionan alimento a las abejas que intentan pasar los meses de invierno.

Girasoles: Son una de las mejores opciones para cualquier jardín, abejas o no. Existen en muchas alturas e incluso en más colores. Sin embargo, en lo que respecta a las abejas, siempre optan por el naranja o el amarillo en lugar del rojo. Si es alérgico al polen, algunas variedades tienen cero pólenes. Dicho esto, para atraer a las abejas, necesitará polen. Encuentre un girasol que ofrezca un buen punto medio.

Caléndulas (Marigold): La versión preferida es la caléndula de una sola flor. ¡A las abejas les encanta!

Prímulas: Todo tipo de prímulas, especialmente la prímula nativa, son algunas de las mejores opciones para la comida temprana de las abejas.

Rudbeckias: Estas pertenecen a la familia Aster. Vienen en una variedad de alturas y son en su mayoría de color naranja o amarillo. Borran cualquier indicio de opacidad en el jardín y se cultivan fácilmente a partir de semillas.

Acianos (Escabios): Este es otro estimado miembro de la familia Aster. Los acianos suelen ser de color azul y ricos en néctar. Las abejas están enamoradas de ellos porque tienden a florecer durante todo el verano.

Lavanda: Las lavandas vienen en muchas variedades, pero todas necesitan un suelo bien drenado y mucha luz solar para prosperar. Llenan su jardín con bondad fragante y muchas abejas en el momento en que florecen.

Campanas azules: Estas caen dentro de la categoría de suministro de alimentos tempranos. Una nota rápida para los jardineros del Reino Unido: si finalmente se deciden por esto, opten por la campanilla inglesa nativa porque actualmente está amenazada por otra variedad, la campanilla española, que se cruza con ella y la conquista.

Helleborus: También llamada la rosa de Navidad, esta hermosa flor es algo que debería tener en su jardín al final del invierno y a principios de la primavera. Tiene tolerancia a las condiciones de humedad y un poco de sombra. Las abejas salen hambrientas de la hibernación, y esta planta sirve como un bocadillo cuando no hay nada más en la zona.

Azafrán: Esta planta tiene diferentes variedades para elegir. También florece temprano y todos los años. Son lo suficientemente hermosas para animar y alimentar a las abejas.

Menta: La menta es la favorita de las abejas, especialmente la menta de agua. Es súper fácil de cultivar, pero a veces puede ser un poco demasiado problemático. Sería mejor cultivarla en un cubo con un fondo perforado enterrado en el suelo. También puede usarla para hacer algunos platillos para usted.

Romero: Esta es una hierba mediterránea que disfruta de mucha luz solar y un suelo bien drenado. Florece en abril o mayo, dando a sus abejas más que suficiente polen en primavera.

Tomillo: Hoy en día, las diferentes variedades disponibles saben muy diferentes entre sí. Sin embargo, su atención se centra en el tomillo silvestre porque, aparentemente, a las abejas les encanta.

Hebe: Esta es una extensa familia de arbustos que vienen con mucho polen en una sola flor, y muchas flores en un solo arbusto. Vienen en diferentes alturas y suelen ser de color rosa o azul. Pueden sobrevivir en casi cualquier tipo de suelo siempre que se drene adecuadamente.

Borraja: Esta belleza de flores azules también se llama la hierba abeja. Es fácil de cultivar y es originaria de Siria.

La Equinácea (Echinacea): La fragancia y los colores de esta belleza son tan poderosos que la flor atrae no solo a las abejas, sino también a mariposas y pájaros.

Clavelina de mar: Esta es una gran idea de planta para un jardín de abrevadero, un muro o una roca. Se ve impresionante con sus flores rosas floreciendo sobre un poco de follaje. Le encanta la luz del sol y el suelo bien drenado. Las abejas definitivamente querrán más de esto.

Clavel del poeta: Este miembro de la familia Dianthus barbatus es el favorito de las abejas de todos los tiempos. Viene en colores rosa y blanco y produce la mejor fragancia.

Monarda: Esta hierba es el secreto del sabor del té Earl Grey, pero las abejas están más preocupadas por su néctar y polen. También se llama bálsamo de abeja en el Reino Unido. Deje que sus abejas se den este lujo.

Verbena Bonariensis: Esta alta y frágil perenne adornada con flores de color malva es un artículo imprescindible para su jardín.

Ageratum: Este miembro de la familia Compositae tiene las más bellas flores azules y mucho polen. Asegúrese de estar bien en la primavera antes de ponerlas en la tierra. No les gusta ni una pizca de helada.

Cardo de Globo (Echinops): Esta belleza se mantiene alta y hermosa incluso cuando no está en flor. Atrae a las mariposas y abejas con su color y mucho néctar. No requiere mucha atención, y florece cada año. Esa es una flor que debería tener en su jardín.

Dedalera (Digitalis): Esta hermosa planta es una gran fuente de alimento para las abejas, pero es extremadamente venenosa, por lo que debe tener un cuidado extra para protegerse a sí mismo y a los niños de la zona.

Capítulo doce: Cosechando miel con fines de lucro

Todos los caminos llevan a la miel. Esta es una de las razones por las que muchas personas se dedican a la apicultura. La miel se ha considerado valiosa durante generaciones y por una buena razón. No hay alimento más puro en existencia, que se sepa, al menos. Es una maravillosa fuente de energía, totalmente digerible, y tan deliciosa. En diferentes culturas, la miel se utiliza para tratar muchas enfermedades debido a sus propiedades antibacterianas. La abeja melífera es literalmente el único insecto que produce comida que los humanos pueden digerir. ¡Y la humanidad digiere mucho de ella! Más de dos millones de toneladas de miel se consumen en todo el mundo cada año.

Es una absoluta emoción embolsar su primera cosecha de miel. Sería muy difícil encontrar miel que supiera y se sintiera tan bien como la suya propia, y nadie le dirá lo contrario. La miel comercial ni siquiera se acerca a la miel de origen local. La mayor parte de la miel de las tiendas de comestibles ha sido cocinada, mezclada y diluida. La suya estará en su forma original, exactamente como la produjeron las abejas, y rebosante de sabor y aroma, tanto que nunca más comprará otra botella de miel procesada.

Este capítulo trata sobre el gran día: ¡Su primera cosecha! Tendrá que considerar el estilo de miel que busca obtener, las herramientas que necesitará, la preparación en sí, la cera de abejas y las opciones de comercialización. ¡Es hora de entrar en ello!

Evitar expectativas pocas realistas

No busque una gran cosecha de miel en su primera temporada. Es triste, pero las colonias recién establecidas no han tenido una temporada entera para buscar suficiente néctar para hacer miel para usted y para ellos mismos. Tampoco ha tenido tiempo de aumentar su población, así que por muy decepcionante que parezca, no debería empañar su estado de ánimo. Todo lo que necesita es paciencia porque el próximo año traerá más miel de la que pueda imaginar.

Podría comparar la apicultura con la agricultura. La cosecha depende mucho del clima. Si hay más días cálidos y soleados con mucha lluvia, las flores no tienen más remedio que florecer y proporcionar a las abejas el néctar que necesitan. Si su jardín está listo para florecer, sus abejas lo seguirán. Si la madre naturaleza está de su lado, puede cosechar más de 100 libras de miel, y esa es justo la miel que puede extraer. Vivir en climas cálidos como el sur de California o Florida viene con múltiples cosechas por temporada.

Cosechar la miel se siente muy bien, pero no lo haga a expensas de sus abejas. Siempre déjelas con suficiente miel para que coman y se sientan bien. Durante el invierno, deben tener alrededor de 70 libras de miel, mientras que, en la primavera, deben tener entre 20 y 40 libras. Sorprendentemente, estos zumbadores pueden producir tanta miel porque las abejas pueden viajar más de 50.000 millas, visitando más de dos millones de flores para recolectar suficiente néctar para producir solo una libra de la materia dulce.

¿Qué sabor de miel le gustaría?

El sabor de la miel que obtendrá después de una cosecha depende casi por completo de sus abejas que de usted. Esto se debe a que recolectan néctar de flores que ni siquiera conoce. Así que a menos que coloque a sus abejas en una granja con acres de tierra llenos de flores de su elección, no hay realmente ninguna manera de determinar qué sabor tendrá su miel. Un sabor específico de la miel llamado miel de flores silvestres ha demostrado ser una forma efectiva de prevenir las alergias al polen. Siéntase libre de investigar los diferentes sabores de la miel antes de plantarla, o simplemente diviértase si tiene mucha tierra y dinero de sobra.

Diferentes estilos de miel

¿Conoce el estilo de miel que pretende cosechar? ¿Sabe que incluso tiene opciones? El tipo de miel que pretende cosechar dicta el tipo de equipo de cosecha que necesita tener porque ciertos tipos de miel solo pueden ser cosechados usando un equipo muy específico. Si tiene varias colmenas, puede decidir condimentarla y cosechar diferentes tipos de miel por colmena.

No almacene nunca la miel en el refrigerador, porque las temperaturas frías aceleran la cristalización. Sin embargo, después de algún tiempo, todos los tipos de miel se cristalizan de forma reversible. Para licuarla, caliente el frasco de miel en un microondas o en un tazón de agua caliente. Ahora, aquí están los estilos de miel.

Miel extraída: Este es el estilo de miel más consumido en los Estados Unidos. Es la que se ve en las tiendas de comestibles o en la cocina de su abuela. Para obtener esta forma de miel, el panal se separa del tapón de cera y se drena la miel, que luego se cuela y se almacena en frascos. Necesitará un extractor, un cuchillo destapador, y un colador o una tela de quesería para hacer esto.

Panal de Miel: Este es el tipo de miel que aún está en el panal, exactamente como la hicieron las abejas. Conseguir que las abejas hagan esto puede ser un poco difícil. Necesitará un flujo de néctar muy constante como estímulo. Cosechar este tipo de miel lleva menos tiempo que la miel extraída. Todo lo que necesita hacer es simplemente sacar el panal entero, la miel y todo, y almacenarla. Es muy comestible, así que adelante, ¡Denle una mordida o cinco!

Miel en trozos: También conocida como panal cortado, este tipo de miel son solo trozos de panal que se han colocado en una taza o cualquier recipiente de boca ancha y se llenan con miel líquida.

Miel batida: También conocida como miel cremosa, miel fondant, miel hilada, miel confitada o miel batida. Esta miel semisólida es famosa en muchas partes de Europa. ¿Recuerda cómo todo tipo de miel se cristaliza con el tiempo? Hay una forma de regular el proceso de cristalización para obtener cristales lisos y untables llamados miel granulada. Estos cristales se mezclan con la miel extraída en una proporción de entre 1 y 9 respectivamente para producir la miel batida. La miel batida es espesa, súper suave, y puede ser untada en rebanadas de pan como si fuera mermelada. Puede llevar mucho tiempo hacerla, pero también vale la pena.

Cómo extraer la miel

Esta es una guía paso a paso de cómo cosechar la miel de su colmena:

1. Retire cada marco lleno de miel del alza y colóquelo en posición vertical sobre el tanque de destape. Deje que se incline un poco hacia adelante para que los tapones se caigan cuando los rebane del panal.

2. Utilice un cuchillo destapador eléctrico para cortar los tapones y revelar las celdas llenas de miel. Corte suavemente, moviéndose de un lado a otro como si estuviera cortando el pastel. Cortar solo hacia arriba, comenzando a unas pocas pulgadas de la parte inferior. Guarde sus dedos primero en caso de un accidente.

3. Utilice un rascador de tapas para sacar las celdas que no haya visto al usar el cuchillo. Ahora gire al otro lado del marco y repita el proceso.

4. Cuando haya terminado de cortar el tapón, ponga el marco dentro del extractor en posición vertical. Un extractor es una máquina que extrae la miel de las celdas y la almacena en un tanque de almacenamiento. Una vez que haya suficientes marcos en su extractor, cúbralo y comience a girar. Comience despacio y aumente el impulso

a medida que progresa porque empezar rápido puede dañar su frágil panal de cera.

5. Gire cada lado durante cinco minutos o hasta que las celdas estén vacías. Luego regrese el marco al alza.

6. La manivela se hace más difícil de girar ya que el extractor está inundado de miel, así que tendrá que drenar un poco de miel antes de girar un poco más. Busque la válvula en el fondo de su extractor y ábrala para dejar que la miel fluya hacia su cubo de embotellamiento.

7. Transfiera la miel a sus frascos y ¡ya está!

Cómo limpiar después de la extracción de la miel

Evite guardar los marcos que gotean miel, o tendrá que reemplazarlos al año siguiente. Necesita eliminar cualquier resto de miel antes de almacenar los marcos extraídos. La forma de hacerlo es dejando que las abejas lo manejen.

Cuando se ponga el sol, coloque los marcos de miel encima de la caja de la colmena y déjelos por un día o dos. Las abejas se pondrán a trabajar en la miel, y en poco tiempo, habrán lamido cada gota que quede. Una vez que hayan terminado, ahumar las abejas para separarlas de las alzas. Luego trate los marcos con control de polilla de la cera antes de almacenarlos hasta la próxima temporada.

Cómo cosechar la cera de abejas

Cada vez que se extrae la miel de la colmena, el panal que queda es la cosecha de cera de la temporada. Muchos apicultores locales no pueden obtener una cantidad sustancial de cera, por lo que los compradores interesados buscan cera en los apicultores comerciales. Sin embargo, la cosecha de cera es una habilidad que todo apicultor debe tener, así que aquí están las pautas:

1. Drenar la miel de los panales no debería estresarlo, porque puede simplemente dejar que la gravedad haga todo el trabajo pesado. Deje los tapones en paz para que se drenen durante algunos días.

2. Ahora coloque el panal escurrido en un cubo de plástico y vierta agua caliente. Utilice sus manos o una paleta para sacudir el panal en el cubo para eliminar cualquier resto de miel. Una vez hecho esto, colar los tapones a través de un colador de miel y repetir el proceso hasta que el agua parezca libre de miel.

3. Transfiera los panales limpios a una olla doble y deje que la cera se derrita. La cera de abejas es extremadamente inflamable, por lo que la doble caldera es su mejor amiga, no una llama abierta. Cualquier cosa que haga, no deje la cera en la caldera desatendida ni siquiera por un minuto. Si necesita usar el baño, apáguelo.

4. Coloque la cera de abejas derretida a través de muchas capas de muselina o tela de quesería para eliminar cualquier resto, y repita el proceso de fusión tantas veces como sea necesario para obtener cera pura.

5. Puede almacenar la cera en un molde de bloque o cualquier material de almacenamiento que desee. Se recomienda un viejo cartón de leche porque se puede rasgar el cartón después de que la cera se haya solidificado para producir un bloque de cera de abejas pura.

Cosechando cera de abejas y miel para obtener ganancia

La venta de sus productos apícolas asegura que usted recupere todo el dinero que invirtió en su colmenar, más un extra. Muchas operaciones de miel comenzaron como pequeños colmenares, que más tarde se convirtieron en negocios que prosperaron con los productos apícolas. Hoy en día, muchos apicultores comerciales exitosos dependen de grandes compañías para la miel y la cera de abejas. Con la orientación y dedicación adecuadas, se puede recorrer el mismo camino hacia el éxito. Sin embargo, DEBE saber algunas cosas antes de cobrar.

¿A quién le interesa la cera de abejas?

Si tiene una lista mental de usos de la cera de abejas, le será fácil encontrar el grupo adecuado para sus productos. Tiene relevancia médica, cosmética y de carpintería, entre otras cosas. Si todavía se siente un poco perdido, aquí tiene un par de ideas de dónde podría tener demanda su cera de abejas:

Artesanos. Si se entera de alguna feria de vendedores o de artesanos locales, preséntese con su cera de abejas. También puede comercializar sus productos en mercados de pulgas. Nunca se sabe quién quiere tener en sus manos cera de abejas fresca, hecha localmente. Crear una tienda en línea en sitios web de artesanía de buena reputación también es una buena forma de hacerlo. Los artesanos de todo el mundo tendrán acceso a sus productos mientras usted se sienta y sigue enviando la cera.

Empresas comerciales. Este grupo puede ser mucho más difícil de alcanzar, pero algunas empresas prefieren a los apicultores locales a los comerciales. Por otra parte, eso depende de su rendimiento. Necesitará unos años de experiencia y un rendimiento anual lo suficientemente grande como para proveer a estas compañías comerciales. Dicho esto, siempre habrá empresas que se enorgullecen de que utilizan cera de abejas estrictamente pura, hecha localmente, así que no hará daño hacer algunas averiguaciones.

¿Quién está interesado en la miel?

Esa pregunta debería ser: "¿A quién no le interesa la miel?". Además de los miembros de su familia y amigos, puede vender su miel a muchas personas diferentes que disfrutan de la miel fresca, cien por ciento natural. Algunos de ellos lo son:

1. *Los locales.* Anunciar y vender a los locales crea conciencia sobre la apicultura y despierta el interés de la comunidad en su comercio. De esta manera, no solo se vende la miel, sino que también se educa directa o indirectamente a las masas sobre la importancia de las abejas y su seguridad.

2. *Tiendas de comestibles y restaurantes locales.* Siempre puede ponerse en contacto con los supermercados y restaurantes locales para saber si quieren miel natural. Seguramente se entusiasmarán con la idea, porque tener miel fresca de origen local es un gran punto de venta para cualquier negocio.

3. *El mercado de agricultores.* El mercado de agricultores es un buen lugar para comercializar sus productos porque la mayoría de las personas que frecuentan estos lugares siempre están buscando productos hechos localmente. Le sorprendería la cantidad de personas que disfrutan sabiendo dónde y cómo se hace su comida. Todo lo que necesitará es un puesto, unas cuantas jarras de vidrio llenas de bondad dorada, y su tarjeta de visita. El puesto para colocar los frascos, los frascos para atraer a los clientes, ¡y la tarjeta para futuras transacciones!

Los 3 consejos dorados para comercializar su miel y cera de abejas

1. **Conectar con los propietarios:** Son el lugar perfecto para empezar a construir su red de clientes. Asista a eventos de ventas locales, compre sus productos y anuncie sus servicios junto con los suyos. Este tipo de amabilidad no suele quedar sin recompensa. Las referencias son una de las mejores maneras de obtener nuevos clientes y construir una sólida reputación.

2. **La magia de las redes sociales:** La promoción de sus bienes y la creación de redes en persona es eficaz, pero las redes sociales han tomado el control. Todo el mundo ve todo lo que sucede en línea, y la noticia parece extenderse como un incendio forestal en estos días. Es el lugar para mostrar su negocio. Nunca recibirá correo no deseado, y siempre tratará de mantener relaciones amistosas, pero profesionales, con los clientes. El objetivo es ser reconocido como una autoridad de confianza en todo lo relacionado con la apicultura.

3. **Sitio web de SEO:** Si se siente un poco ambicioso, puede crear su propia tienda en línea donde hará ventas directamente en lugar de usar mercados en línea que le hacen pagar por los anuncios y las ventas. Además, es muy asequible crear un sitio web, y hay muchas herramientas disponibles para ayudar a los nuevos empresarios a crear y lanzar un sitio web. SEO es un acrónimo de Search Engine Optimization (optimización de motores de búsqueda). Funciona para dar a conocer su contenido a clientes potenciales registrando las

palabras o frases clave que se encuentran en su sitio web y mostrando el sitio web a cualquier persona que busque esas palabras exactas en la web. Por ejemplo, un cliente potencial que teclee "ventas de miel fresca" en la barra de búsqueda, y pulsa enter, será proporcionado con su sitio web, entre otros con las mismas palabras clave de SEO.

Conclusión

Como apicultor nuevo en la práctica, siempre tiene que estar abierto a nueva información. En el momento en que deja de aprender, las cosas van a salir mal. La apicultura lo introduce en una comunidad creciente y dinámica, y usted trae su propia salsa a la mesa.

Debe darse cuenta de que lo que está a punto de embarcarse es algo muy noble. Le está haciendo un favor a la tierra al elegir dedicar su tiempo, energía, pasión y recursos para poblar el planeta con más de la maravilla que es *la abeja*. Está haciendo su parte para asegurarse de que las abejas no se extingan, y que las esperanzas de la humanidad para un futuro no sean arrebatadas. Está aportando su granito de arena para enseñar a las personas que le rodean la importancia de estas brillantes, zumbadoras y hermosas abejas, y cada pequeña parte de eso contribuirá en gran medida a preservar la tierra.

Ahora no se equivoque: Como con cualquier nuevo esfuerzo, se le desafiará, frustrará y a veces incluso se ridiculizará. Dicho esto, este viaje valdrá la pena. No permita que unos pocos contratiempos en el camino lo desanimen de intentar y aprender de sus errores, ¡porque solo a través de la práctica se mejora! No arroje la toalla a la primera señal de problemas o de derrota. Siempre podrá cogerle el truco si le da un poco más de tiempo y tiene paciencia consigo mismo. No es muy diferente a andar en bicicleta o a caminar. No solo comenzó a caminar; tropezó un poco, se golpeó la cabeza de vez en cuando, y se conformó con gatear o que lo levantaran a veces, pero finalmente, se movió. Trate a la apicultura con la misma actitud.

Hablando de práctica, simplemente tiene que ponerse a trabajar. Cuando se trata de abejas, no se puede simplemente entrar en acción, así que, si es necesario, vuelva a leer este libro repetidamente. Consiga un bolígrafo, márquelo, haga lo que necesite.

Recuerde: Debe estar listo para esto antes de hacer el pedido de sus abejas. Puede que esté emocionado, pero debe atenuar esa emoción con sentido común. El sentido común dicta que necesita pensar bien las cosas. ¿Está listo para ser apicultor? ¿Tiene la mentalidad necesaria? ¿Tiene la ubicación? ¿Dispone de los fondos? ¿Tiene suficiente tiempo para ello? ¿Está listo para seguir aprendiendo más y más sobre el arte de la apicultura? Si está seguro de que las respuestas a todas estas preguntas son un fuerte y rotundo "sí", ya sabe qué hacer a continuación. No, no es conseguir las abejas; es preparar las cosas para ellas para que pueda empezar su emprendimiento.

No se olvide de unirse a una asociación de apicultura en su área, aunque tengan una filosofía apícola diferente a la suya. Por el lado positivo, ¡aprenderá algo nuevo! Nunca subestime la cantidad de información útil que puede obtener de los apicultores experimentados y de sus abejas también.

Mantenga sus ojos y oídos en el suelo... o en la colmena.

Vea más libros escritos por Dion Rosser

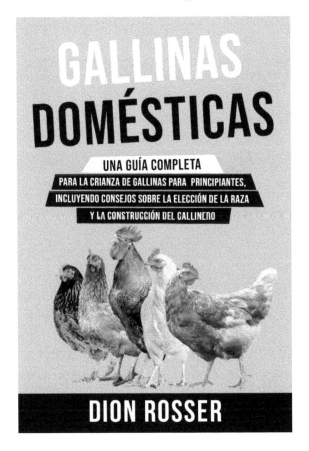